U0147926

陪著你玩 02
優質關係經營叢書

結構式遊戲治療
個案實務與分析

鄭如安 主編

麗文文化事業

■ 國家圖書館出版品預行編目（CIP）資料

結構式遊戲治療個案實務與分析 / 鄭如安主編. ──
　　初版. ── 高雄市：麗文文化，2012.04
　　　面：　　公分
　　　ISBN 978-957-748-480-2（平裝）. ──
　　ISBN 978-957-748-485-7（精裝）

　　1.遊戲治療　　2.個案研究

　　178.8　　　　　　　　　　　　　　101003997

結構式遊戲治療個案實務與分析

初版一刷・2012年4月　　初版二刷・2013年10月

主編	鄭如安
作者	王怡蓉、李伊淑、邱美綺、洪筱琦、洪麗晴、張綺瑄、許家芬
	陳玟如、葉明哲、劉秀菊、鄭如安
責任編輯	杜佳靜
發行人	楊曉祺
總編輯	蔡國彬
出版者	麗文文化事業股份有限公司
地址	80252高雄市苓雅區五福一路57號2樓之2
電話	07-2265267
傳真	07-2264697
網址	http://www.liwen.com.tw
電子信箱	liwen@liwen.com.tw
郵撥	41423894
臺北分公司	23445新北市永和區秀朗路一段41號
電話	02-29229075
傳真	02-29220464
法律顧問	林廷隆律師
電話	02-29658212

行政院新聞局出版事業登記證局版台業字第5692號

ISBN 978-957-748-485-7（精裝）

麗文文化事業

定價：350元

作者簡介
Author

王怡蓉

國立高雄師範大學輔導與諮商研究所碩士。現任高雄市立瑞祥高中專任輔導教師、高雄市學生輔導諮商中心兼任心輔人員。

人生無奈，但有選擇。慶幸當初做了這個選擇，讓我能學習和自己與兒童做最真實、最柔軟的接觸，成為如其所是的自己。而人生就像茶葉蛋，有裂痕，才入味。既然裂痕有其存在價值，何不將這些苦難化為春泥，來豐厚你我的生命故事。

李伊淑

國立高雄師範大學輔導與諮商研究所碩士。現任高雄市立陽明國中輔導教師、高雄市學生輔導諮商中心兼任心輔導人員。

大人的用心沒有被看見，孩子的心靈沒有被瞭解，往往會兩敗俱傷，執著要對方改變，有時壓迫感愈大，距離愈遙遠。和夥伴們學習遊戲治療的過程，就像在乾涸堅硬的土地上耕種，嘗試用各種方法灌溉、鬆土、施肥，使其得到滋養。先去瞭解他、陪伴他，緊繃的關係鬆動後，他會漸漸展現厚實的生命力，改變慢慢的就發生了。

邱美綺

國立高雄師範大學輔導與諮商研究所碩士。取得諮商心理師證照。現任高雄市立左營國中輔導教師。

藉由諮商關係，讓我接觸另一個人的生命，開啟一段心靈的對話，在敘說的過程中，更擴大豐富了彼此的生命廣度與視野。諮商這份工作充滿挑戰性，幸好有這群夥伴們一路相伴，獲得滿滿滋養與能量，能夠繼續前進，為生命創造並留下許多更美好的事。

洪筱琦

國立高雄師範大學教育所碩士。現任高雄市立陽明國中輔導教師。

我喜歡，抱著一顆好奇的心，由他們引領我去閱讀一段段充滿勇氣及力量的故事；我欣賞，每個值得被祝福與被愛的孩子；我堅信，每個未完待續的故事，孩子會繼續用充滿生命力的方式尋找自己的出路，活出自己的人生。

洪麗晴

國立臺中教育大學國教所博士。曾任高雄市學生輔導諮商中心兼任心輔人員。現任高雄市漢民國小教務主任。

心中有「愛」，生命存在～「陪伴」，發掘「從0到1的愛」。

「專注傾聽、用心觀察」～給予孩子們溫暖般的話語與感受，陪伴他們走過一段人生的幽谷，增長他們繼續勇往向前的力量與智慧，擁有一顆慈悲、菩提與智慧之心。

張綺瑄(Sonia)

國立高雄師範大學輔導與諮商研究所碩士。現任綠野仙蹤心理諮商所諮商心理師、高雄市學生輔導諮商中心外聘心理師、高雄市生命線協會與基督教機構等協助督導與訓練工作。

熱愛與兒童、青少年及家庭互動的諮商實務工作，擅長萃取家庭成員與家庭獨特文化中的正向元素，激勵家庭為改變而努力。除了使用語言的介入，也喜愛透過各種不同的媒介，深入聆聽並幫助當事人探索內在的寶藏。

許家芬

屏東教育大學教育心理與輔導所諮商輔導組研究生。現任國小教師兼任輔導老師、高雄市教師劇團（playback）。

喜歡結合表達性藝術治療與體驗教育的取向至兒童青少年的諮商輔導工作，相信當我們重視每個人的獨特、傾聽與關懷、以悅納的眼光陪伴他們時，孩子就更有機會發揮潛能、治癒自己心靈的傷口。期待在諮商輔導工作中與有志一同的夥伴一起努力！

陳玟如

國立中山大學教育研究所碩士。現任高雄市莊敬國小教師、高雄市學生輔導諮商中心兼任心輔人員。

相信「每個人在這世上都是一份奇特的禮物」～愛自己，也愛身邊的家人、學生以及好友。

期待「無邊無際的愛，足以合唱、吟詠出你我人生的樂歌」～走吧！和我一起行動，種下愛的種籽，將純真良善的果實分享給更多人！

葉明哲

諮商心理師。現任綠野仙蹤心理諮商所心理師兼所長、高雄市學生輔導諮商中心外聘心理師。

從事助人工作近二十年,服務對象從兒童到老人。在與兒童一起工作時,遊戲是過程中很重要的元素。透過遊戲,我可以與兒童建立關係,深入他們的世界,協助他們表達和理解情緒,進而發現自我能力並發展自信。目前也在社區推廣親子遊戲課程,提供親子接觸互動機會,協助親子間親密關係的建立。

劉秀菊

國立高雄師範大學輔導與諮商研究所碩士。現任高雄市龍華國小專任教師、高雄市學生輔導諮商中心兼任心輔人員。

我非常喜愛陪伴兒童遊戲、接觸人的內在,更相信人有許多潛能,尤其是兒童,即使在艱難困苦的環境中,都有他們的生存之道,這是讓我感動與佩服的地方。因此,期待自己能不斷學習,看見人們內在世界的力量,並將這樣的相信與看見傳達出來,讓人們更有力量、更快樂,讓世界更美好。

鄭如安

國立高雄師範大學輔導與諮商研究所博士。現任美和科技大學社工系助理教授、高雄市諮商心理師公會理事長、社團法人高雄市生命線協會主任。

生命與生命的接觸都是那麼的美,每一個生命都是如此的有價值,何等幸運的在助人工作中,我可以接觸到如此多美麗的生命,這些是我的工作夥伴、是我的個案、是我遇到的每一個人。我自期能像向日葵般吸收太陽的溫暖與能量,讓蝴蝶因有了我的溫暖及能量而能幸福的飛翔。

  《結構式遊戲治療個案實務與分析》是我和十位夥伴一起努力的結晶。本書的完成，象徵著一群專業人員的合作、對專業的負責、對個案的用心，以及在專業成長路上找到的支持與樂趣，都讓我們更有能量用心的陪伴個案。我常說：專業的學習是永無止境的，諮商專業的路有時是辛苦的，但我們絕不會讓自己孤單。

  在這樣的共識下，很幸運的我們成為一個團隊，也成為很好的朋友，彼此願意相互支持與鼓勵，並決定一起把大家的陪伴故事變成一本書。

  書中介紹了十個案例，是由十位專業輔導人員參與撰寫，每個案例都是從各篇作者擷取部分報告內容做分享，其中，可以看到從覺察、表達、行動、撫育（鼓勵）到整合等五個過程的轉變脈絡。在我的督導與帶領下，輔導人員覺察自己在接案過程的深刻感受或感動，透過書寫這些經歷和體驗，同時也分享了陪伴個案的過程中做了些什麼？應用了哪些媒材物件？緊接著，再由我針對每位輔導人員的介入及過程做不同的回饋，其目的就是希望能讓讀者知道，輔導歷程中的重要機轉或關鍵改變之處。

　　為每篇個案故事寫分析與回饋的過程中，一個個真誠與精彩的陪伴故事，總是讓我不斷的感動與成長。看似一本小小的書，但卻也是團隊夥伴們二年時間的辛勤成果，很高興我們一起完成了這本「故事書」。編者才疏學淺，內容若有不周詳之處，尚祈各位輔導前輩惠予指正。

鄭如安於高雄慈濟書軒

2012年03月23日

目次 Contents

緒 論

結構式遊戲治療

　　我熱愛諮商輔導，更著力於兒童相關議題之諮商輔導，多年的實務工作，讓我深信投入於兒童議題是絕對值得的！近年來，我經常思索著如何將個人的實務經驗，分享給有需求的諮商專業夥伴、學校輔導老師及家長。因此，我開始著手編寫繪本、書籍、設計遊療相關媒材等工作，其主要目的在於協助這些關心兒童的老師、家長們能有更好的方法及適用的媒材，可以作為進一步瞭解兒童、關懷兒童的有利媒介！

　　《結構式遊戲治療個案實務與分析》可以說是接受我督導多年夥伴的一個成果呈現，其實這也是我督導的一個方式，亦即在討論個案過程中，要求被督導的夥伴們覺察及分享當自己聽到有關個案的訊息、看到個案的面貌行為、聽了個案的描述當下內心會有哪些感覺，然後再進行有關個案的討論，我稱此為互為主體的督導過程。

　　本書中的案例提及「家庭遊戲卡」[1]、「能量圖卡」[2]及「情緒臉譜」、「能量語句」、「行動語句」[3]等媒材物件，在坊間書局或麗文文化事業機構直營的校園書局都有展示。另外，個案遊戲治療進行的過程都會用到《結構式遊戲治療——接觸、遊戲與歷程回顧》（鄭如安，2012）此書的理念，其中的重要理念分別為「遊戲中親（owning）與疏（alienation）的治療機制」、「遊戲的過程就是兒童厚實的敘說與表達」、「建構正向的陪伴經驗：依附關係理念在結構式遊戲治療的應用」和「人際歷程理論在結構式遊戲治療

1 「家庭遊戲卡」（鄭如安等人，2008），包含「家庭遊戲卡」圖卡、「情緒臉譜」及「能量包」，於2012年再版後即重新調整卡片內容。
2 「能量包」於2012年調整圖卡內容後再版，並更名為「能量圖卡」。
3 「情緒臉譜」、「能量語句」、「行動語句」原名為「兒童能量遊戲卡」（鄭如安等人，2009），於2012年再版後與「家庭遊戲卡」合併，並重新調整卡片內容。

上之應用」，若想更詳盡瞭解其內容，則可閱讀該書。

　　本書共介紹了十個案例，每個案例都不是從第一單元到結案的報告，而是由每篇的作者擇其部分內容做分享，但每個案例都可以看到從覺察、表達、行動、撫育（鼓勵）到整合等五個過程的轉變脈絡（鄭如安主編，2012）：。茲簡要說明如下：

一、覺察、表達、行動、撫育（鼓勵）到整合的過程

　　這不僅是一個完整的諮商歷程，每一個單元諮商（session）也可分解成這五段過程，也就是說每個單元諮商，都可以分解為引導個案接觸、覺察到自己的心情與想法，然後催化其表達、坦露。

（一）覺察階段

　　諮商師運用媒材引導兒童接觸內在情緒，最簡單具體的作法就是運用「情緒臉譜」來協助兒童覺察自己的情緒。情緒通常是非常細微且有層次的，例如：憤怒的背後常壓抑著悲傷或擔心。因為兒童所能陳述的字彙有限，因此兒童不易覺察自己的情緒。我們可以運用「情緒臉譜」，因「情緒臉譜」係根據「喜、怒、哀、樂、憂、思、悲、恐、驚」九個向度將情緒分類，接著配合臉譜表情及色彩協助兒童覺察情緒。

（二）表達階段

　　表達和覺察是交互發生的。當兒童開始運用媒材接觸自己的情緒時，覺察與表達便已產生。諮商師可以利用具隱喻特性的活動，如神奇的筆、祕密瓶、出氣槌、氣球、沙包、吹泡泡等物件或活動，引導兒童將心情、感受、想法寫出來和表達出來。

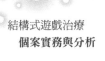

（三）行動階段

現實情境中，很多時候兒童的生活不是被自己決定的，因此協助兒童擁有掌控感，提升其我能感是兒童諮商的重要目標。透過遊戲、畫圖、創作過程等，都可以讓他們有機會自己控制、自己決定、自己行動。

（四）撫育（鼓勵）階段

好的依附關係往往來自於一個愉快經驗的連結，這些都和愛、舒適、舒服、安全有關（Jernberg, 1993）。兒童成長過程必須大量擁有被滋養與照顧的經驗，我們可以透過食物、身體溫柔的接觸、照顧滋養的動作（如擁抱、梳頭髮、擦乳液），讓兒童可以得到滋養與休息。所以，布偶客體及各種滋養的物品就常出現在本書的案例說明中。

（五）整合階段

一個完整的諮商過程，常會在深刻的體驗後出現新的領悟，這個領悟是一種新的認知，一個新的自我價值。這個新想法，有可能使兒童的情緒與行為跟著改變。在歷經覺察、表達、行動與撫育之後，我們期望透過正向的「能量語句」肯定及遊戲小書的回顧來整合兒童的轉變、進步與發展。

書中每個案例也都秉持「遊戲的治療功能」和「遊戲轉換兒童內在主觀經驗的機制」等理念進行，在此也特別加以說明。

二、遊戲的治療功能

媒材物件主要的使用對象是兒童，運用的方法以遊戲的形式進行。遊戲對兒童的發展有其重要性，Schaefer（1994）曾指出遊戲

對兒童具有下列五種治療功能：

（一）權力與控制（power and control）

遊戲本身可以提供兒童強烈的權力和控制感，透過玩具的選擇、過程的安排可以使兒童有權力和控制感。

（二）頓悟（insight）

在利用玩具玩出內心困擾的同時，兒童就已經在和他的情緒接觸，透過遊戲過程裡困擾事件中情節的轉變、人物對話內容的轉變或是事件的重複演出……，都有助於兒童覺察困擾事件所引發的情緒、想法和行為，進而產生新的頓悟。

（三）情緒釋放（emotional release）

情緒釋放亦即把被壓抑的情緒（如生氣、傷心……）表露出來。兒童在遊戲過程常會透過玩具和遊戲內容，以間接或象徵的方式來呈現其壓抑的情緒，若諮商師接受兒童的象徵遊戲，適時且合宜地反映出這些情緒，便極具治療效果。

（四）認知重建（cognitive reappraisal）

遊戲過程不僅要做到情緒釋放，還要能將兒童失功能、錯誤的信念導正過來，兒童之所以會有錯誤的認知，通常是因為他們容易過於簡化事件或錯誤推論。諮商師可以藉遊戲治療的過程，讓兒童感受到自己的權力與控制感，然後再應用故事、布偶、繪本、演劇等媒材或方法來修正其認知信念。

（五）支持性關係（supportive relationship）

若兒童感受到自己可以把負向情感表達出來，而且這些情感會

被接納與肯定時，他們就能更勇於釋放情感，覺得自己有能力控制環境。這種支持的、信任的關係，就是遊戲介入的治療因子。

三、遊戲轉換兒童內在主觀經驗的機制

「辦家家酒」大概是人們共通的回憶，這個自發且有趣的遊戲相信每個人在小的時候都玩過，兒童透過這樣的遊戲過程，完成了許多在現實生活中無法滿足的夢想。這種看似一個兒童隨意的遊戲，其實過程是複雜的心智活動。兒童將其內在的想法和情緒，以口語及口語的方式轉換成一種遊戲、活動，整個過程是兒童將內在情緒世界和外在世界、人際做溝通、協調的過程（Ariel, 1992）；這個過程有生命化（realification）、認同（identication）和趣味性（playfulness）三種心智活動（mental claim）在運作：

（一）生命化

兒童將內在對某人或事件的影像或想像投射到外在世界，使內在的影像或想像產生生命和意義。內心世界的影像和外在實體有可能是對立或荒謬的，例如：遊戲中兒童說「有一隻老虎在前面，牠要咬我」，即表示兒童把內在世界老虎的影像投射到其外在世界，將內心的老虎賦予了生命和意義。

在生命化的過程，兒童只是透過口語，並不利用外在世界的實體，口語的內容就是兒童假想遊戲的主體內容（如老虎）。

（二）認同

這是兒童在遊戲治療過程最常出現的一種形式。兒童利用外在世界的實體或行為來賦予外在實體另一種意義，例如：兒童用一塊木板、布偶或石頭來代表一隻老虎，這個外在的實體就成了這個假想遊戲中的主體內容。

（三）趣味性

　　這個看似簡單的因素在假想遊戲中占有重要的角色，因為它具有降低緊張、去除防衛的功能，趣味性使得兒童喜歡透過假想遊戲來表達或處理他內心的緊張。例如：兒童用布偶演出一個緊張的小男孩（個案投射）時，他可以盡情的表露這個小男孩緊張、害怕的情緒，因這個布偶不是「他」，讓兒童比較放心表露情緒。

　　由上可知，遊戲的過程可以讓兒童在無威脅及有趣味的狀態下，透過上述三種心智活動，將其內在主觀經驗表達出來。

　　除此之外，遊戲讓兒童以下述四種方式和壓力事件或創傷經驗保持距離，建構一個安全無威脅的情境（Schaefer, 1994）：

（一）象徵（Symbolization）

　　意即上述認同的過程，舉例來說，兒童可以用一隻蛇來象徵他所恐懼的人。

（二）宛如（As If）

　　和上述生命化的內涵一樣，兒童可以將一些虛幻、假想的內在想法或期望，宛如真實的呈現出來。

（三）投射（Projection）

　　也就是兒童可以將內在的負向情緒透過玩具、遊戲等方式表露出來。例如：兒童可以將生氣的情緒發洩在小熊布偶上。

（四）替換（Displacement）

　　兒童可以將他們對某人或某事的情緒，發洩在娃娃或布偶上。替換的過程和投射類似，不過在替換的過程，兒童對自己的情緒是

有覺察的，他們知道情緒產生的緣由，但是投射過程通常不是兒童可以意識到的。

由上可知，遊戲的介入可以：

1. 在趣味無威脅的情境下，建構安全的治療關係。
2. 透過玩具的象徵、宛如、投射和替換的過程，協助兒童將壓抑的情緒和創傷事件外顯化。
3. 讓兒童從遊戲過程得到掌控感，提升自尊和能力。
4. 透過不同媒材及活動，澄清兒童錯誤的認知。

Part
01

傾聽他的喜歡

結構式遊戲治療

個案故事

　　小宣是一位四年級的小男生，3歲時父母就離異，母親也因此離家。成長過程中，父親經常不在家，大部分時間小宣是由奶奶及姑姑照顧。父親及奶奶經常以嚴厲的打罵方式管教小宣，小宣尤其懼怕父親，因為爸爸總是一不高興就破口大罵。

　　在學校，小宣常因情緒失控引發衝動行為，例如：丟擲文具、撕毀書本，對同學則常是動手打人、以鉛筆刺同學、推同學下水塘等暴力行為。轉介前一週，小宣又與同學一言不合，出手打了對方，導師因而將他轉介出來。

　　與小宣談話初期，小宣總是被動應對，不願正視我，直到「養寵物」成為話題，小宣變成滔滔不絕的分享者，從養老鼠到準備養甲蟲，小宣陶醉在幸福的寵物主人氛圍中；小宣告訴我，長大後的願望——要成為昆蟲專家。

　　學校輔導紀錄表上，小宣常被描述是一位衝動、暴力的問題男孩，但在滔滔不絕的寵物哲學中，他是溫柔、耐心的最佳寵物主人。認識小宣讓我對兒童工作有了新的啟示與學習，對小宣這位昆蟲專家也有了很大的興趣。

甲蟲搭起友誼的橋

　　我看了導師的轉介單之後，心裡一直出現這樣的想法：「或許是家中長期那種令人窒息的氣氛，讓小宣習慣以負面情緒處理人際

問題。」

我帶著一點疑惑、一點好奇的心情開始和小宣工作。

第一次的晤談過程中，小宣不喜歡談到有關家庭的主題。

「你家裡還有哪些人？」

「不知道！」

「爸爸平常會跟你一起做什麼？」

「不知道，也不要問啦！」小宣刻意很用力的說。

小宣不想提到有關家裡的事情，或許是家給了他許多負向的經驗吧！我在他心目中是怎樣的角色？一個像爸爸的大人或是一個瞭解他的大人？我的心中有一些困惑。

之後，我決定要展現出尊重並專注陪伴的態度。因此，我不再問問題，而是反應他的心情、跟隨他的遊戲。

「你不想談有關家裡的事情，沒關係。接下來這段時間，你可以自己決定要玩什麼，或怎麼玩。」

第二次見面時，我邀請小宣畫「全家人一起做一件事」。

「今天老師想邀請你畫一張畫，這裡有圖畫紙、畫筆和橡皮擦。」

小宣看了我一下，並沒有拒絕，我微笑點頭。

「今天老師要請你畫全家人共同做一件事。」

小宣聽完之後，拿起畫筆開始畫。

「小宣選了畫筆要開始畫了。」我既高興又驚訝的反應。小宣出乎我意料的配合，讓我對小宣更好奇了！

作畫時，他刻意的遮掩不讓我看他畫。

「喔！你不想讓老師看到你在畫什麼。」

過程中，我只是專心的陪在小宣旁邊，偶爾反應一下他的心情或行為。

最後，小宣畫了自己一個人的畫像。

「這給你！」小宣把圖畫遞到我面前，表示要送給我。

「你想把這張畫送給我，是嗎？」小宣有些不好意思的點點頭。

這突如其來的行為及表達，讓我非常驚訝，我竟不知如何反應的僅是點頭微笑，我內心充滿了喜悅。雖然我期待他畫的是全家人，但在這陪伴過程中，小宣已經感受到我對他的尊重與接納，「這給你！」一句話，似乎也看到小宣對我的接納。

第三次見面，小宣帶了幾本昆蟲圖鑑到遊戲室，他認真的翻閱並主動介紹。我發現談昆蟲寵物時，小宣的神情變得充滿自信，於是我專注聆聽並和小宣討論昆蟲，談昆蟲寵物建立起我們之間一個特殊的互動內容。我決定把小宣的興趣當作自己的興趣，並試著成為小宣的同好。

第四次見面時，我送了一個飼養盒給小宣，小宣既驚訝又欣喜的接受我送給他的飼養盒，然後興致勃勃講著他準備飼養甲蟲的計畫，這一天小宣露出了少見的燦爛笑容，天真的神情，至今我仍記憶猶新。

我對小宣的好奇慢慢的有了一些體會。我感受到小宣的處境，他無力改變父母的婚姻，加上對爸爸的懼怕以及受制於奶奶的嚴厲管教，生活充滿壓力。可喜的是他找到了一個自己可以掌控的世界，一個屬於他的王國——昆蟲世界。

我熱切的關注屬於小宣的「昆蟲世界」，我的投入，讓原本緊繃的心情變得輕鬆了。相信是我的專注聆聽與真誠態度，讓小宣願意引我進入他的昆蟲王國。甲蟲成為我和小宣的共同朋友，遊戲室裡甲蟲是我和小宣的話題主角，我們都覺得很愉快。

圖卡說故事──接觸內心的開始

在第五次的遊戲時間，我試著進一步探索小宣內心不願意碰觸的世界，因此我運用「家庭遊戲卡」的投射功能，邀請小宣為「家庭遊戲卡」編故事，小宣竟然樂意接受我的邀請。

我把「家庭遊戲卡」一一擺放桌上並誠懇的邀請小宣。

「你可以自由的挑選一張圖卡，為圖卡中的人物編故事，老師會安靜的聽你說故事，當一位認真的聽眾。」

小宣爽快的答允，讓我開心極了！

「我選好了！」小宣認真的瀏覽過所有圖卡，很快的選定了其中的一張。

「你很快的決定想要的圖卡，這圖卡是……」

小宣沒有等我多說，手指著圖卡中的小孩，便開始敘說：「這個小孩正在吃一碗阿嬤煮的粥，但是他非常討厭吃粥，阿嬤不斷的說快點吃、快點吃，不吃我就打你……」小宣眼神有些憤怒，帶著委屈的聲音說著。

「看得出來那位小孩真的不愛吃粥。」我以溫暖的口吻表達同理。

但小宣開始變得有些煩躁不安，我握一握他的手，希望可以表達我的支持。

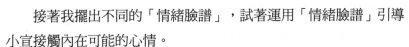

「你可以告訴老師圖中的小孩和阿嬤的心情嗎？」

接著我擺出不同的「情緒臉譜」，試著運用「情緒臉譜」引導小宣接觸內在可能的心情。

小宣開始為圖卡中的小孩和阿嬤選擇「情緒臉譜」。小宣找了

找，並沒有找到他要的情緒，這時我拿出了空白小卡遞給小宣並告訴他：「你找不到適當的『情緒臉譜』，也可以自己寫。只要把你要的情緒寫在空白小卡上就行了！」

小宣選了「生氣」又寫了「苦笑」。

「阿嬤的『情緒臉譜』是『生氣』還有『苦笑』，小孩一直被罵，所以他是『緊張』的。」小宣說。

「阿嬤一整天都在罵人，小孩忍不住頂嘴，就被罵得更兇，甚至被打，有時候小孩都快要爆炸了！」

小宣不由自主連珠炮似的抱怨，語氣充滿了怨恨與不滿。我忍不住拍拍小宣的手，想要安撫他憤怒的情緒。小宣安靜了一會，接著沉默的看著「家庭遊戲卡」。

「老師看到你認真的說完圖卡故事，但是這個故事似乎讓你有些難過，你願意再多說一些嗎？」我關心的看著小宣。

「那是我的阿嬤，她每天煮飯給我吃，但是心情不好就會罵人。那個小孩就是我，我常常被罵，心裡很難過，有時覺得快要爆炸了！」小宣指著圖片，開始描述平常與阿嬤的互動。

我驚訝於原本表現抗拒的小宣，竟然主動將自己不愉快的生活經驗透過圖卡表露出來，我從小宣的描述可以感受到他的壓抑。我心想：「阿嬤罵小宣的場景是小宣的生活經驗，這樣的經驗似乎也將祖孫之間的正向情誼蒙蔽了。」

聽著小宣的描述，心中思考著如何協助小宣在這負向的互動經驗中，找到一些正向的經驗及掌控感。接下來，我邀請小宣選擇

「能量圖卡」。我計畫運用「能量圖卡」中足以表達正向情緒的物件圖卡來與小宣互動。

「我想請你為小宣和阿嬤選一張『能量圖卡』，你覺得他們需要的會是什麼？」

小宣很有興趣的看著一疊「能量圖卡」，然後一張一張的挑，最後小宣選了兩張「能量圖卡」。

「我要送給阿嬤一個『大拇哥』，因為阿嬤辛苦的煮飯，大家都要說好吃；小宣需要的是『鈔票』，他想要自己存錢，可以買很多東西，不必讓阿嬤花錢。」小宣流利的表達他的想法。

「小宣雖然很不喜歡阿嬤經常罵人，但仍然要送一個『大拇哥』給阿嬤，小宣需要『鈔票』不想讓阿嬤花錢，替阿嬤著想，小宣的貼心和孝順讓老師好感動！」我用欣賞的表情與肯定的口語表達讚賞小宣。

小宣看著我、聽著我的讚美，露出靦腆的微笑。方才的激動與憤怒似乎已煙消雲散。小宣的憤怒情緒逐漸平息後，他自己又主動的說：「我還想送給阿嬤一個『愛心』。因為我是阿嬤養大的，我很感謝她。」

我感動的想著：「多麼貼心的一段話，小宣情緒失控的行為背後，其實，有一顆溫柔體貼的心。」

於是我接著說：「我想送小宣一個『掌聲』。雖然他有時候在學校會發脾氣，會和同學吵架，其實他是一

個懂事的好小孩！」

這次的遊戲時間就在我送給小宣「掌聲」的回饋中結束，我看著他雀躍的表情，蹦跳著離開了遊戲室。

這是小宣說最多話的一次，很高興小宣願意把我當成他訴說心情的對象，多次和小宣眼神接觸的當中，我瞧見了他渴望被愛與關懷的需求，也感受到小宣善解人意與敬愛阿嬤的好性情，我願意再陪小宣一段時間，也希望我給他的「掌聲」，能讓他看到自己很棒的一面。

送一個掌聲，開啟一段正向連結

「一個好演員，即使沒有掌聲，仍須盡心竭力的演出。」這是小宣給我的感覺。很高興自己將「掌聲」適時的送給小宣，這個正面的回饋滋潤了他缺乏愛的幼小心靈。小宣對自己受阿嬤照養的身分有深刻的覺察，父母的漠視加上家庭經濟的拮据，使得他壓抑生活中的不滿，並勉強自己接受阿嬤情緒化的管教。因此，學校中的人際衝突與暴力相向，可能就是小宣發洩情緒的一種自我解放。

輔導小宣的過程中，因運用「家庭遊戲卡」說故事的活動，很快的發現小宣將家庭故事投射在圖卡故事中，透過小宣的口語表達，我更有機會能情感反應他的情緒，尤其搭配「情緒臉譜」的運用，可以深入了解小宣對情緒的覺察；最後利用「能量圖卡」賦予故事主角能量及整合故事結局，這個歷程有助於發現小宣真正的內在需求，也給了我更確實的輔導方向。

謝謝小宣，讓我有機會成為一個10歲孩子的真正朋友。也期盼小宣能夠找到自己的能量，並且願望成真！

案例實務分析與探討

接納、尊重是面對抗拒個案的有效策略

　　對個案展現「尊重」是每位輔導老師在輔導歷程中經常自我要求的，當一個個案配合著我們的邀請或要求時，其實這時候是兒童「尊重」輔導老師，真正「尊重」的展現是要在兒童不配合或出現非我們所預期行為的時候。在遊戲治療過程中，「尊重」的基本反應就是反應個案的心情，接納個案的決定，跟隨個案的行為。

　　好喜歡本案例中輔導老師以下的這個態度與決定：

　　　　「之後，我決定要展現出尊重並專注陪伴的態度。因此，我不再問問題，而是反應他的心情、跟隨他的遊戲。」

　　在遊戲治療實務經驗中，個案的不配合或出現非我們所預期行為，歸納其原因：常是因為個案的抗拒、焦慮防衛或生氣。可能是抗拒接觸此議題；可能是在遊戲治療初期，關係尚未建立而有的防衛；可能是談論此議題時內心隨之產生的焦慮；也可能是對輔導老師有生氣不滿的情緒。

　　相信還有其他的可能，但不論是哪種情形，輔導老師此時的最高指導原則就是反應個案的心情，接納他的心情，然後讓個案自由遊戲，輔導老師則專注的跟隨他的遊戲。

「對個案感興趣」是關係進展的重要關鍵

兒童中心遊戲治療學派強調「對個案感興趣」，但有多少實務工作者體會到「對個案感興趣」的精神呢？在此案例分享中，我好喜歡輔導老師的這段描述。

> 「第三次見面，小宣帶了幾本昆蟲圖鑑到遊戲室，他認真的翻閱並主動介紹，我發現談昆蟲寵物時，小宣的神情變得充滿自信，於是我專注聆聽並和小宣討論昆蟲，談昆蟲寵物建立起我們之間一個特殊的互動內容。」

> 「第四次見面時，我送了一個飼養盒給小宣，小宣既驚訝又欣喜的接受了我送給他的飼養盒，然後興致勃勃講著他準備飼養甲蟲的計畫。」

「對個案感興趣」其實就是欣賞個案的特質、欣賞他的所言所語、欣賞他的喜歡與不喜歡。本案例的小宣提到昆蟲時的神情變得充滿自信，可見他是多麼享受與樂於浸淫在昆蟲世界中。最令人欣賞的是，在第四次遊戲治療時，輔導老師送了一個「飼養盒」給個案。試想這個「飼養盒」在整個遊戲治療過程中多具意義啊！它不僅是一個禮物，更是一個「欣賞」及對個案興趣的接納。個案會感受到你樂於傾聽他的分享，因此他會開始帶領你進入他的內心世界。一個他可以掌控的世界，一個屬於他的王國——昆蟲世界。

這充分傾聽的情景是多美的一個互動境界呀！

運用媒材引導個案接觸議題

不管是兒童或成人，在面對個人議題時，其實內在情緒是很複

雜的，有時甚至是愛恨交加的衝突情緒。另外，通常在一個比較表層的情緒充分表達之後，更深的一層內在情緒才有可能浮現出來。由此可知，這是一個很複雜的過程。

由於媒材物件有具體的影像或形體，因此有助於兒童接觸及表達個人議題。善用媒材物件本身屬性，不僅可以引導兒童敘說，還可以引導兒童解構及重新建構其故事主軸。

本案例，輔導老師先利用「家庭遊戲卡」引導個案編故事，這過程就是引導兒童接觸其議題。

> 「你可以自由的挑選一張圖卡，為圖卡中的人物編故事，老師會安靜的聽你說故事，當一位認真的聽眾。」
>
> 「你很快的決定想要的圖卡，這圖卡是……」
>
> 「那是我的阿嬤，她每天煮飯給我吃，但是心情不好就會罵人。」小宣指著圖片開始描述平常與阿嬤的互動。

過程中，輔導老師運用的就是跟隨、同理反應；然後再運用「情緒臉譜」來引導兒童接觸內在可能有的心情。

> 「你可以告訴老師圖中的小孩和阿嬤的心情嗎？」
>
> 「阿嬤的『情緒臉譜』是『生氣』還有『苦笑』，小孩一直被罵，所以他是『緊張』的。」
>
> 「阿嬤一整天都在罵人，小孩忍不住頂嘴，就被罵得更兇，甚至被打，有時候小孩都快要爆炸了！」

上述過程中，輔導老師運用「家庭遊戲卡」配合「情緒臉譜」，引導個案充分且厚實的敘說。個案之所以能有比較厚實的敘說，「家庭遊戲卡」和「情緒臉譜」具有效引導的重要功能。

「能量圖卡」的正向內容有效引導兒童解構及重新建構其故事主軸

輔導老師在個案厚實的表達之後，開始運用「能量圖卡」的正向物件圖卡來與小宣互動。

由於「能量圖卡」中的圖卡都具有正向的屬性，個案在充分表達其情緒之後，其內心的空間變大了，因此，當輔導老師邀請小宣選「能量圖卡」給自己和阿嬤時，變化也就發生了。

「我想請你為小宣和阿嬤選一張『能量圖卡』，你覺得他們需要的會是什麼？」

小宣竟然選了一個「大拇哥」給阿嬤，後來又送一個「愛心」給阿嬤。

小宣在這短短的過程，怎麼會有如此大的轉折呢？這印證了「厚實敘說的過程就具有療癒的功能」。此時，也提醒所有實務工作者，當個案敘說故事後，請再運用一些正向屬性的物件，引導個案重新建構其故事主軸，通常我們會見到個案產生自發性的能量並願意正向思考，這樣的媒材運用著實有利於協助個案產生建設性的情緒轉化，進而發揮力量面對現實生活的挑戰。

渴望安全感和愛的心靈

個案故事

小芸的母親未婚生下她，三個月大時被母親施暴，從此小芸就開始過著被寄養的生活，直到小芸小學三年級時，母親才將她帶回撫養。但又因母親常在酗酒後，情緒失控對小芸施暴，使得小芸在小學五年級時再度被安置。

據導師描述，小芸在校人緣不好、情緒不穩，常與同學發生衝突、打架，到小學六年級時又出現偷竊的行為，因而全班都討厭她，分組時也沒有人願意和她同一組。

看完這些故事後，我內心感到很沈重，也對小芸起了憐憫之心，在腦海裡也隨即浮現一個瘦弱可憐的小芸的形象。不過這樣的想像在第一次見到小芸後就改觀了。

全然的接納兒童是治療有效的基礎

第一次和小芸見面的過程很特別，她不像一般的孩子等我去帶她，而是時間未到就自己來到遊戲室。那天在我結束前一個孩子遊戲時間不久，就看到一個比我高大，約165公分、62公斤重，可說是壯碩的女生來到遊戲室門口，我還來不及和她打招呼，她就已經進入遊戲室，並說遊戲室和以前差很多，現在變得又大又棒，還拿起吉他撥動琴弦說：「這是我的麻吉」。接著玩玩火車，但說怕弄壞，於是繼續探索其他玩具。

這些行為讓我瞭解小芸曾在這間遊戲室有過一些遊戲的時光。

後來小芸玩起「穿木珠」，或許是因時間所剩不多，讓小芸意猶未盡，結束時她將木珠桶放進櫃子裡收藏起來，說下次還要穿一條很長的項鍊。為了讓小芸在遊戲時間結束有一個正向、美好的感受，結束前，我讓小芸玩「摸一摸、猜猜看」的遊戲，請小芸將手伸入預先放置小禮物的束口袋內，用手摸一摸並猜猜。這個遊戲讓小芸感到很好玩。

為了讓我的陪伴有延續的效果，我讓小芸選擇一個布偶，並請她幫它命名。小芸很快的選了一個小熊，並為它取名「小布丁」。從此，「小布丁」和我一起出現在遊戲室，一起陪伴小芸。

讓我印象深刻的是小芸第二次進入遊戲室，隨即按照自己上次的計畫，開始穿木珠。過程中，我看到小芸手指靈巧、很認真專注的穿木珠，而我則在一旁跟隨、用心的陪伴著她，同時反應她的言行與感受。最後小芸將完成的一條很長的項鍊戴在脖

子上，我臨機一動，想為她留下珍貴的回憶，於是徵詢小芸的同意，便拿起相機；沒想到小芸看到後，很開心且認真的擺了好幾個姿勢，甚至欲罷不能的連續拍了好幾張。

最後，當我說遊戲時間剩下5分鐘時，她馬上走向沙袋，然後非常用力的打沙袋。或許是徒手打沙袋使她雙手發疼，小芸改拿紙棒打，紙棒被她打到斷成兩截，於是她用雙手各拿一截紙棒，繼續使勁力氣、生氣的打，還加上用腳踢。

對小芸突如其來強烈的發洩憤怒情緒，雖然是我從事諮商以來第一次遇到，但我內心一點也不害怕，因為我瞭解能安全的將內心

壓抑的情緒抒發出來對小芸是有幫助的。因此，我繼續和之前一樣，專注、用心的跟隨著她、反應她的行為與情緒。小芸邊打邊主動說出今天早上發生了一件令她生氣的事，就在此時，紙棒被打破了，她進而改拿塑膠棒繼續用力的打。

就這樣，小芸連續使勁全力的打了5分鐘的沙袋，讓我感受到小芸積壓在內心的怒氣是如此的強烈。不過，在打沙包幾分鐘後，小芸說她心裡舒服多了。這讓我感到開心，因為這就是遊戲治療中安全的宣洩情緒的重要療效。

深層情緒的接觸、表達與撫慰

進行第八次晤談的前一節課，小芸與同學發生嚴重衝突。導師擔心我只聽小芸的片面之詞，因此，安排一位學生帶著小芸及與她衝突的同學一起到遊戲室，同時告訴我發生了什麼事。雖然我不是要像法官或警察般把事情調查清楚，但心想：這樣也好，讓我看到小芸與同學的人際互動，並具體瞭解轉介單上寫的「人緣不好、情緒不穩，常與同學發生衝突、打架」是怎麼回事。

那天我看到小芸氣呼呼的和同學一起來到遊戲室，當帶領的同學告知我緣由並離開後，我指著我附近的椅子，請和小芸發生衝突的同學坐下，他們很快按照我的意思坐下來。

我詢問兩人誰要先說怎麼一回事時，小芸表示要同學先說，但是同學才說不到兩句話，小芸就大聲的說：「是他先罵我！」

同學則小聲回應：「我沒有罵她，是……」

小芸馬上打斷同學的話，並用食指指著同學，用高亢的聲音說：「你說謊！」

這樣的過程重複兩次，小芸的動作和聲調，讓我強烈感受到小

芸的激動情緒與強勢態度。在釐清事件始末後，有感於小芸同學的情緒和小芸相較之下平靜許多，於是我對那位同學說：「我大概知道整個狀況了，現在你回去告訴老師，我知道了而且我也會處理，謝謝你，也幫我謝謝導師。」

此時小芸仍然很生氣的站在遊戲室的中間，怒氣沖沖的瞪著那位同學。同學回教室後，小芸還是嘟著臉，眼神還是充滿憤怒，於是我對小芸說：「我看到妳剛剛好生氣、好生氣！」

我想此時透過物件來協助她接觸並覺察自己內心的情緒，可能比僅是口語表達好。於是我請小芸坐下來，同時將「情緒臉譜」一張一張平放在桌上，並對小芸說：「小芸，這裡有很多張『情緒臉譜』，有生氣、憤怒、傷心……，妳現在有哪些心情？可以從這些「情緒臉譜」中選出妳的感受。」

小芸很快的選出「生氣」、「怨恨」和「不公平」的「情緒臉譜」，我瞭解情緒有時是很複雜的，因此我繼續催化：「妳很生氣、怨恨和覺得不公平，還有沒有別的情緒？」

小芸又陸續挑出了「難過」委屈」、「痛苦」、「沮喪」和「孤單」等情緒，這我一點也不意外，因為外在憤怒的情緒底下通常是深層的悲傷或失望。然而，當小芸從「情緒臉譜」中選出「孤單」的情緒時，我卻感到訝異，因為沒想到小芸竟會意識到自己的孤單！

驚訝之餘，我腦海裡出現小芸在教室的座位──遠離同學、孤零零的在教室的後面，這個畫面幫助我瞭解小芸的孤單。接著我取出「能量圖卡」，並將之一一平放在桌面上，請小芸從中選出會讓她好過些的物件。

小芸看了一下，很快的選出了「寶劍」、「盾牌」、「弓

箭」、「槍」、「ok繃」、「隱形斗篷」、「任意門」、「翅膀」、「時光機」、「變身水」和「水晶球」。選卡片的同時，我追蹤並描述小芸的行為：「嗯！我看到妳選了寶劍、盾牌、弓箭……」

為了想瞭解幾張卡片何以會讓小芸好過些，於是我又對小芸說：「這些東西是如何讓妳比較舒服呢？」

小芸似乎早就想把心中滿滿的話傾吐出來。她很快的說：「寶劍和槍是要刺死自己，這樣就不會難過了。」

聽到這個理由，我心頭一驚，驚訝小芸的傷心、痛苦的情緒是如此的強烈，強烈到要刺死自己，這也使我對小芸起了不忍之心。接著我問：「ok繃呢？」

小芸說：「ok繃是貼傷口的。」

「貼心裡的傷！」我知道小芸已接觸到自己內在的傷痛。

小芸繼續說：「隱形斗篷讓自己隱形起來。」

「翅膀和變身水則是讓我飛到或變身到沒有同學的地方，這樣我就不會生氣、傷心或難過了。」

「時光機則是回到出生的時候、讀幼稚園的時候，不要被人家討厭。」

「水晶球則是希望同學能對我好。」

聽完小芸的描述使我聯想到，幾次到小芸教室，小芸總是一個人遠離同學坐在教室最後面，還有小芸媽媽曾提起，她一天上三個班，晚上7點多下班，10點又要去上晚班，直到半夜2點多才回家，

晚上小芸都是一個人在她們租的小套房內。我更能同理小芸「孤單」的心情與感受，並領悟與發現——這份孤單的感受，想和人有互動，想和人在一起，似乎也是小芸經常和人吵架的一個重要因素。

當小芸透過「情緒臉譜」表達其情緒，她接觸自己的內在，覺察到自己除了怨恨、生氣的情緒之外，還有孤單、難過、委屈、痛苦、失望等深層的情緒後，這時小芸的情緒也沈澱下來了。透過「能量圖卡」讓小芸表達內心深層的希望，使她的內心得到了撫慰。

回到童年——需要伴、快樂的玩

前幾次的遊戲時間，小芸選擇獨自玩，但是自上次的遊戲單元後，小芸開始邀請我加入她的遊戲，我們一起玩了木頭人和躲貓貓等遊戲。我想這樣的轉變可能是經過上次的同儕衝突事件，小芸覺察到內在的孤單，而透過我的陪伴、同理、瞭解，使小芸的內心得到撫慰，也增進我們的關係。小芸和我一起玩時，經常玩得很high，她也一直鼓勵我跟著她鑽到桌子底下，期待我和她一樣玩得很快樂。於是我試著忘記自己的年齡，放下自己的身分，想像自己如同一個小朋友一樣盡情投入遊戲中。當我玩到開心的笑出來時，小芸也立刻感受到我的真性情而說出：「妳笑了」，這讓我強烈意識到小芸很在意我是否快樂的和她玩，我也感覺小芸似乎在滿足童年未獲滿足的需求。

約一～二週後，小芸很開心的告訴我，最近她在放學後去社區圖書館當義工，直到晚上9點才回家。聽到這個消息，我心裡很高興，因為這表示小芸不再自己一個人孤單的在小套房內度過漫長的

時光，她會安排自己的生活了。不久，小芸又告訴我一個令人驚喜的好消息，那就是導師答應她，只要她做到連續三週與同學和平相處，她的座位就可以往前和同學們排在一起。而她已經做到了，下週她就可以和同學並排座位一起上課了。

這個進展讓我感到十分欣慰，因為我知道小芸已有足夠的能力去解決問題，過更快樂的生活，而這也表示我與小芸要說再見的時刻到了。

回到嬰兒——需要照顧與愛

然而，就在與小芸約定結束的前一週，事情卻有了戲劇性的變化。某天晚上，小芸的母親因失業與感情因素導致情緒低落，喝醉後爬上住宅四樓的窗臺意圖跳樓，小芸驚嚇之餘，緊急打電話求救，順利的將母親救下來送到醫院。那晚她跟著母親在醫院，直到隔天早上10點多才到學校。

隔週，我看到小芸頭上綁了一個漂亮的馬尾，在遊戲時間之前來到遊戲室，她告訴我導師要找我。導師告知我上述事件後，我回到遊戲室，小芸和以往一樣躲起來，和我玩躲貓貓遊戲，只是今天小芸很不一樣的躲在遊戲室外，還來回奔跑好幾趟，這行為讓我感覺小芸似乎有點不太敢面對我。

進入遊戲室後，小芸很驚訝的發現多了一個娃娃屋，她馬上進入娃娃屋，然後驚訝的說：「有奶瓶耶！」我回應說：「妳很驚訝發現有奶瓶。」

後來，我隱約感覺到小芸將

奶瓶放入口中，當我反應其行為時，小芸否認將奶瓶放入口中。一會兒後，小芸從娃娃屋出來，拿了幾個軟墊鋪在娃娃屋的地上，又找了兩塊布將娃娃屋的門窗遮起來，然後進入娃娃屋。

我看不到小芸，但仍舊很認真觀察布幕的動靜與聲音並反應之。或許小芸不喜歡一人在娃娃屋內孤單的感覺，幾分鐘後，小芸先和我玩猜猜看她是躺著還是坐著的遊戲，後來，乾脆打開布幕邀請我進入娃娃屋。

進入娃娃屋後，我坐在小芸為我安排的位子上，亦即在小芸的腳邊與小芸面對面。只見壯碩的小芸縮起雙腳躺在娃娃屋內，一手拿奶瓶放入口中又吸又咬，一手緊緊抱著狗布偶，當下我感受到小芸內心的苦痛，對小芸心疼了起來；也感受到小芸對我的信任與相信，相信我能陪伴她度過這個艱苦的時間。

後來小芸想起小布丁（小芸為小熊布偶取的名字），於是將之帶進娃娃屋內。這提醒了我，可透過布偶同理與撫慰小芸，於是我將小布丁貼著小芸的臉，輕柔的撫摸小芸的臉，同時對著小布丁說：「小芸上週過得好辛苦！不過，我看到小芸會照顧媽媽，還會照顧自己。」

小芸閉著眼睛、靜靜的接受我的同理和撫慰。之後，小芸偶而用布偶將臉遮住，有時用望眼鏡將眼睛遮住。整個遊戲時間，小芸幾乎都吃著奶瓶，讓我感受到這是個多麼渴望得到安全感的心靈。

打開娃娃屋，敞開心門

小芸起初不敢讓我看到她這麼大一個人還吸奶瓶，但後來，或許是小芸感受到我真誠的接納，於是邀請我進入娃娃屋。娃娃屋有如小芸的內心世界，小芸邀請我進入娃娃屋，如同向我敞開心門，

讓我進入、看到其內心深層的需求。但小芸不免感到有些不安，故意將臉遮住；然而她還是很在意我對她的觀感，於是她有時拿望眼鏡對著我看，想知道我的表情。

隔週的遊戲時間，小芸特別帶了一瓶飲料來，一進遊戲室就詢問奶瓶是否清洗過，然後告訴我她要布置娃娃屋，邀請我幫忙將娃娃屋的門窗裝上簾子，在娃娃屋的地上鋪上軟墊，因當時正值五六月的大熱天，又打開電扇讓風吹進娃娃屋，最後將飲料倒入洗好的奶瓶。此時，我才明瞭原來小芸自備的飲料是準備當「奶」來喝的，這使我感受到小芸對遊戲時間的期待與投入。

一切準備就緒後，小芸邀請我、小布丁、小狗布偶進去娃娃屋。我看到小芸面向我側躺著，像嬰兒般飢渴的、用力的吸吮著奶瓶裡的飲料，一手抱著狗布偶，並從手機播放羅志祥的歌曲〈灰色空間〉，「幸福是什麼滋味」的歌詞反覆的播放著，這使我感覺到小芸像回到小嬰兒一樣。為了兼顧更好的陪伴與尊重小芸的考量下，我試著問小芸：「你要老師做什麼？」沒想到小芸竟很快的回答：「你可以拍我的背。」

於是我隨著「幸福是什麼滋味」的歌詞節拍輕拍小芸的背，就像照顧小嬰兒一般，小芸則繼續不停的吸著奶瓶裡的飲料，很快的將眼睛閉起來，並安穩的睡著了。這個畫面和動作，讓我想起十幾年前，我輕拍女兒的背，陪伴她們睡覺的時光。

我一邊看著小芸熟睡的臉龐，聽著小芸輕微的呼吸聲，我感受到小芸完全沉溺在被愛的氛圍中，這讓我更加心疼小芸這段時間的辛苦與不安。於是我持續輕拍小芸的背，雖然拍得有些手酸，我還是繼續拍，因為耳邊重覆聽到「幸福是什麼滋味」的歌詞，讓我感受到小芸此時此刻的心境是「幸福」的。

就這樣，十幾分鐘後，遊戲時間到了，我叫醒小芸，小芸睜開眼睛，像嬰兒一樣慢慢的爬出娃娃屋，我知道小芸非常捨不得離開幸福的娃娃屋。

　　結束前，小芸告知上週媽媽鬧自殺時，她從晚上10點哭到12點，當晚到醫院後直到清晨6點她才睡著，而這幾天晚上她都睡不好。可見，母親的事件讓小芸感到很驚嚇、害怕與不安。小芸離開前告訴我，下週她還要和今天一樣玩娃娃屋的遊戲，要我再輕拍她的背，再過一週，她才要談最近發生的事。

　　下週到時，我看到小芸只帶了手機來到遊戲室。和上週一樣的是，一進遊戲室就開始布置娃娃屋。布置好後，邀請我、小布丁和小熊布偶進去，這次沒有拿奶瓶，只用手機選播幾首新歌，不過，最後還是停留在〈灰色空間〉這首歌。

　　小芸安排我坐同樣的位子，依舊面向我側躺，然後要我拍她的背。小芸將眼睛閉起來，一手抱著狗布偶、聽著音樂唱著「幸福是什麼滋味」，沒一會兒她就睡著了。我以陪伴孩子入睡的心情，輕拍小芸的背，看著她睡得很安穩的臉龐，我知道她正享受著我的照顧，耳邊不斷響起的音樂也告訴我她現在很幸福。

　　時鐘滴答滴答的過了15分鐘，遊戲時間將結束，於是我叫醒小芸，小芸依依不捨的、像嬰兒般慢慢的爬出娃娃屋。小芸告訴我，她現在的心情指數是滿分100，顯示小芸的心境已平穩許多。

快速復原，生命更堅韌

　　下一次的遊戲時間，小芸還是和上回一樣，一進遊戲室就布置娃娃屋，我以為她忘了之前的協定，便提醒了她，她回應：「我知道，我只是要在娃娃屋內談有關媽媽的事。」

　　小芸持續很有活力的布置娃娃屋，我發現小芸和之前不同，她將娃娃屋的地板全部放上軟軟的坐墊，還在我的坐處與背靠處放了軟墊，將娃娃屋布置比之前更舒適，還告訴我可以靠著軟墊會較舒服。這使我瞭解，現在的小芸除了自我照顧的能力增強外，還有能力照顧我，顯示小芸狀態更好了。

　　這次小芸，沒有睡覺，眼睛張開，很快的回答我有關前兩週媽媽所做的事和她的心情感受。小芸還告訴我，媽媽最近心情很好，工作正常，她的心情也已回復平靜，只有每到星期二時會出現擔心、焦慮的情緒，因兩次令小芸驚嚇的事件都是發生在星期二。我同理、接納小芸的情緒，也對於小芸這段艱苦的時間仍能照顧好自己生活起居、能正常上學，還能遵守班級常規及和同學和睦相處，向小芸表達對她的肯定與欣賞。

　　我持續的看到小芸明顯的進展。在下一次的遊戲時間裡，小芸移動娃娃屋，搬動電風扇，讓風從娃娃屋的窗戶吹進娃娃屋內，將娃娃屋布置得更涼快、舒適。我則將其認真、用心布置娃娃屋的情形拍下來。

　　小芸對其布置的娃娃屋感到很滿意與開心，也和上週一樣關心的問我：「會不會熱，有沒有吹到風？」

　　在娃娃屋內，小芸躺著，同時隨著手機的歌曲，一邊唱歌一邊手舞足蹈，非常的投入與享受，我則在身邊專注的欣賞與拍手，並對小芸能熟記這麼多首歌的歌詞表達了佩服與欣賞。就這樣小芸連續表演了約10首歌。

　　遊戲結束時，小芸明確告訴我，她這一週過得很好，心情指數持續是滿分100。我很開心的看到小芸快速的復原，看到她的生命更加的堅韌與成長。

由於小芸的畢業典禮即將到來，她也知道，我和她說再見的時刻真正到了，她期待我能參加她的畢業典禮。但卻因時間和計劃不允許，於是，我預計為她辦一個結業式，便與她討論想邀請的人與進行的方式。

　　結業式當天，我特地準備她最愛吃的食物和飲料，小芸也為自己準備了飲料，來到遊戲室，當她看到我為她特別準備的食物與禮物，感到非常的驚喜。

　　由於小芸非常喜歡被拍照，於是我將遊戲過程中拍的照片與作品，製作成相簿和小書。小芸抱著小布丁，一邊享用食物，一邊看著她的遊戲相簿和小書，同時聽我回顧整個遊戲過程的點滴。我也特別製作一張獎狀，寫下我陪伴她這段時間來她的進步、成長，以及讓我欣賞與感動之處：「這段期間老師看到妳專心、有創意的玩各種遊戲，展現出許多能力，讓老師感到驚訝。在艱苦的日子裡，妳布置舒適的娃娃屋，自我照顧，展現堅強的特質，讓老師感到心疼，也感到敬佩。更要為妳這段時間的努力拍拍手，特頒此證書嘉勉妳的努力。與妳在一起的時光，令老師懷念與珍惜，很高興認識妳。」在宣讀完後，頒發給她，我看到小芸臉上多了很多的自信與笑容。

　　回顧結束時，小芸對我說：「我好想將娃娃屋搬回家。」聽到這句話，我瞭解這個娃娃屋對小芸來說意義非凡。在娃娃屋內，我和小布丁陪伴著小芸度過艱苦的日子；在娃娃屋內，小芸很安全、放心的回到嬰兒時期，得到安全、呵護與滋養，得到成長、茁壯。娃娃屋對小芸而言就好像是安全與幸福的象徵。

　　於是我說：「妳想將娃娃屋搬回家，但是娃娃屋是屬於遊戲室的，不過可以將小布丁和娃娃屋的許多照片帶回去。」經過我的

同理與說明後，小芸知道她雖然無法帶走娃娃屋，但是她可以帶走小布丁和她在娃娃屋內、外拍攝的許多照片，以及整個遊戲過程的點滴。於是，小芸抱著小布丁、帶著我送給她許多的禮物與祝福，快樂的和我說再見，期待它們能繼續陪伴小芸。

案例實務分析與探討

有的孩子像蜜糖，有的孩子像蜜蜂，有的孩子則像愛吃蜜的小熊

輔導老師根據轉介描述內容所形成對小芸的影像，對照小芸在遊戲室的反應，確實給輔導老師不小的震撼，這個震撼給了我們怎樣的啟示呢？

兒童中心遊戲治療學派相信兒童有自我成長的潛能，對每個孩子都是持著一種積極正向的觀點，因此，不管孩子做了什麼，我們依然要學習對他的接納與相信。我也相信絕大多數的輔導老師、任課老師都接受這樣的觀點。但是當我們看了轉介單或轉介人員對個案的描述之後，我們對個案一定會形成一個初步的印象，甚至會對這個案產生一些情感反應。

本案例的輔導老師就有以下的反應。

> 「看完這些故事後，我內心感到很沈重，也對小芸起了憐憫之心，在腦海裡也隨即浮現一個瘦弱可憐的小芸的形象。」

這些反應都是正常且無可避免的。不同個案類型給輔導老師心理的衝擊也會有所不同，有些個案會讓輔導老師擔心、害怕；有些個案會讓輔導老師同情、不捨；有些個案則會讓輔導老師疑惑、不解……。有趣的是，我們常在真正接觸個案、建立關係之後，發現

對個案的感覺會有極大的轉變。本案例就是一個見證。

由上可知，我們最初對個案的感受、影像可能都是偏誤的，這個偏誤源自於輔導老師的生命經驗，源自於有限的或單一觀點的描述。為避免這個初步的感受與影像對諮商負面影響，我想每位輔導老師都要學習一顆開放的心，時時自我覺察，並同時接納自己可以有一些感受，但同時也要接納兒童的特殊性。

我常說，即使是同一父母的手足，其個性也可能會有很大差異。不管這位個案是蜜糖、蜜蜂或小熊，這都顯露出他的特性。我們要學習以一種欣賞的態度與開放的心跟個案相處。

當我們能以一種欣賞的態度面對個案的各項反應時，我們就更能等待個案的轉變，更能接納個案的行為。

遊戲行為常是生活經驗的延伸

生活經驗沒有所謂的對或錯，就像沒有兩片葉子是完全相同的。

兒童在遊戲室所表現出來的遊戲行為當然也是他生活經驗的延伸，因此，我們可以從兒童的遊戲來進入他的內心世界。

本案例的小芸一開始是先和她熟悉的遊戲室、遊戲室中的玩具接觸，然後才透過玩具和輔導老師接觸。

> 我還來不及和她打招呼，她就已經進入遊戲室，並說遊戲室和以前差很多，現在變得又大又棒，還拿起吉他撥動琴弦說：「這是我的麻吉」。接著玩玩火車，但說怕弄壞……。
>
> 結束時她將木珠桶放進櫃子裡收藏起來，說下次還要穿一條很長的項鍊。

對於多數第一次到遊戲室的兒童而言，上述這些行為都是比較特別的。這些遊戲行為告訴我們——小芸曾在這間遊戲室有過一些遊戲的時光。

玩玩火車，但說怕弄壞。

結束時將木珠桶放進櫃子裡藏起來，說下次還要穿一條很長的項鍊。

怕弄壞、先藏起來下次還要繼續玩，這想必也是她生活經驗的延伸。這些都證明了遊戲行為常是生活經驗的延伸。從這樣的觀點更要告訴每位讀者，整個遊戲治療的過程其實也是一個評估的過程，因為兒童遊戲行為的內容、形式、結果，以及其口語表達的內容都反映了他的生活經驗。

衝突就像是一部 X 光機

常說危機就是轉機，當我們面對個案又發生現實生活常出現的衝突事件時，輔導老師們不要急也不要慌，此時常是一個最佳的介入時機點。因為我們此時可以與個案一起面對此事件所引起的情緒感受、瞭解他們是如何看待這件事情，更可以看到他們的行為反應。

就本案例而言，或許客觀上來看，小芸的確是和同學衝突，甚至可說小芸要負的責任比較多，但這是「真相」嗎？

我們從小芸與班上與同學吵架的事件中，看到她在班上處於一種被孤立的處境。

「導師擔心我只聽小芸的片面之詞，因此，安排一位學生

　　帶著小芸及與她衝突的同學一起到遊戲室，由他們兩人告訴我
發生了什麼事。」

　　我相信導師一定用過很多不同的方法處理過了，但他希望輔導
老師可以更全貌的看到事件的過程與脈絡，所以我們也鼓勵輔導老
師有時候要與家長、導師聯繫，如此才能真正瞭解個案的狀況，而
非僅聽一面之詞。

　　但我們瞭解整個事情脈絡的重點不是在判定誰對、誰錯，而是
要試著去瞭解個案在這衝突事件的處境及其背後的需求是什麼，因
瞭解個案所處的處境可以幫我們同理並理解個案的情緒與行為反
應，進而可以瞭解個案不斷發生這樣的衝突，其背後可能有的心理
需求為何。

　　在此案例中，可以得知小芸在班上其實是很辛苦的，但導師及
班上同學可能都只看到小芸的情緒與挑釁人的行為；此時的輔導老
師必須有能力看到這些行為背後所隱藏的需求、期待或渴望為何。

　　接下來輔導老師先陪伴再運用「情緒臉譜」協助小芸接觸情
緒，這是一個很好的處理過程。

　　　　在釐清事件始末後，有感於小芸同學的情緒和小芸相較之
　　下平靜許多，於是我對那位同學說：「我大概知道整個狀況
　　了，現在你回去告訴老師，我知道了而且我也會處理，謝謝
　　你，也幫我謝謝導師。」

　　輔導老師單獨的陪伴小芸，讓她感受被瞭解被接納，才有可能
探索到其內在更深層的需求，加上輔導老師和此個案已經有很好的
關係，更使得個案會願意接觸其深層的情緒，但輔導老師需要準備
適當的素材來協助個案接觸其深層情緒。

憤怒、強壯的身體內，藏著渴望陪伴和愛的小孩

此案例中輔導老師運用「情緒臉譜」來協助小芸接觸並覺察她自己的情緒。在此要特別欣賞輔導老師的作法，因為有了「情緒臉譜」可以協助個案更貼切的接觸及表達內在的情緒，因為人的情緒不僅複雜而且是有層次的，比較表層的情緒沒有被覺察到時，是很難接觸到較深層的情緒。

「小芸，這裡有很多張『情緒臉譜』，有生氣、憤怒、傷心……，妳現在有哪些心情？可以從這些『情緒臉譜』中選出妳的感受。」

小芸很快的選出「生氣」、「怨恨」和「不公平」的「情緒臉譜」，我瞭解情緒有時是很複雜的，因此我繼續催化：「妳很生氣、怨恨和覺得不公平，還有沒有別的情緒？」

小芸又陸續挑出了「難過」、「委屈」、「痛苦」、「失望」、「沮喪」和「孤單」等情緒，這我一點也不意外，因為外在憤怒的情緒底下通常是深層的悲傷或失望。然而，當小芸從「情緒臉譜」中選出「孤單」的情緒時，我卻感到訝異，因為沒想到小芸竟會意識到自己的孤單！

當遊戲治療過程走到這邊，大家是不是對個案有更深一層的瞭解了，其實這也是幫忙個案看到了自己的需求。此時，輔導老師的同理、瞭解與陪伴就很具治療效果，若再加上一些具有EMPOWER效果的介入，讓個案自己選擇、自己決定如何改變現在的困境，更可以讓個案找回我能感與掌控感。

我腦海裡出現小芸在教室的座位——遠離同學、孤零零的

在教室的後面，這個畫面幫助我瞭解小芸的孤單。接著我取出「能量圖卡」，並將之一一平放在桌面上，請小芸從中選出會讓她好過些的物件。

個案自己選擇「能量圖卡」的過程，其實就已經在整理自己的傷痛，雖然這些選擇常只是一種隱喻象徵，但輔導老師是要運用這些隱喻象徵來撫慰個案的傷痛，同時也是運用這些隱喻象徵來讓個案得到力量，如故事中的主角在選用「能量圖卡」時有以下的敘述：

> 「寶劍和槍是要刺死自己，這樣就不會難過了。」
>
> 「ok繃是貼傷口的。」
>
> 「貼心裡的傷！」
>
> 「隱形斗篷讓自己隱形起來。」
>
> 「翅膀和變身水則是飛到或變身到沒有同學的地方，這樣就不會生氣、傷心或難過了。」
>
> 「時光機則是回到出生的時候、讀幼稚園的時候，不要被人家討厭。」
>
> 「水晶球則是希望同學能對我好。」

看看上述的描述怎不叫人心疼，這樣的活動無法馬上改善個案的人際關係，但她卻感受到一個很正向的人際經驗，她將內心壓抑的情緒、需求、渴望表達了出來，這過程是極具撫慰療癒孩子傷痛的效果，有了這樣的基礎及治療，我們相信個案才有可能在現實環境中開始改變，因她已經感受到被接納、被愛與被滋養。

▍照相活動所要表達的是——「小孩，我有看到你」

「I am here」是輔導老師與兒童工作時必須傳遞出來的一種訊息，也是遊戲治療有效的一個重要因子。「I am here」其實也就是一種「專心陪伴」的態度，而這個「專心陪伴」的具體表現就是「停、看、聽」。

那如何做好「停、看、聽」呢？簡單說，輔導老師可以做的具體行為表現就是——停下手邊的事情、看著兒童、聆聽他的分享。當這樣的基本功做到之後，輔導老師還可以用以下方法更加深「I am here」的效果。例如：在本書Part 06〈深呼吸、實際的行動〉「小美」的案例中，輔導老師幫小美「發聲」，就是一個很有賦能效果的「I am here」。而本案例中的輔導老師在徵得小芸的同意後，將小芸的遊戲過程、創作過程及作品照相，也極具「I am here」的效果。

通常在照相、拍攝過程，多數兒童的反應是喜悅的，因為他是被輔導老師注意到、是被看重的。就像本案例小芸的反應。

> 徵詢小芸的同意，便拿起相機；沒想到小芸看到後，很開心且認真的擺了好幾個姿勢，甚至欲罷不能的連續拍了好幾張。

若輔導老師也允許兒童用數位相機，讓他自己決定拍攝的角度、遠近等，這過程不僅達到「I am here」的效果，還具有提升兒童我能感與自尊的成效。

這些在遊戲治療歷程中拍攝下來的相片，將來也是在結案時可以用來進行回顧的素材，所以，很值得讀者將此「照相」的元素放入諮商實務中。而這也是我從事遊戲治療十幾年下來很深刻的經驗，與大家分享。

躲避是為了蓄積勇氣，讓我勇敢面對核心議題

　　遊戲室最好規劃一個可以讓兒童躲避的空間。例如：桌子底下、戲劇臺後面、畫架後面，或是大型娃娃屋。這些設備的設置雖有其原本的功能，但也都提供一個讓兒童需要躲避時可以暫時躲避的地方。

　　「躲避」有很多的象徵，第一個就是初次到遊戲室時的「關係建立」的試探，兒童會在探索玩具的過程以背對著輔導老師的方式，或找到這些物件躲避與輔導老師的接觸，但又有機會偷窺輔導老師的反應。這有點像蝸牛般的在試探周遭的環境是否夠安全。

　　第二個是表達「生氣」或「抗拒」。試想你曾有過的經驗，當一個人惹你生氣時，你常有的一個反應是不是不想理他了，此時輔導老師的接納、適切的情感反映加上彼此關係的建立，都是具有協助兒童蓄積其勇氣的效果，輔導老師要相信兒童在這樣的治療脈絡下，他們會有足夠的勇氣與能量來面對他們的議題。

　　要小芸面對媽媽的自殺事件是一件很痛的事情，雖然她和輔導老師的關係已經非常好，但當小芸知道輔導老師也知道此事件時，她一開始也是選擇「躲避」。如：

　　　　今天小芸很不一樣的躲在遊戲室外，還來回奔跑好幾趟，
　　這行為讓我感覺小芸似乎有點不太敢面對我。

　　因此，小芸進入遊戲室後，也選擇馬上進入娃娃屋。

「退化」可能是為了「成長」

　　我想各位讀者都會被輔導老師在娃娃屋中陪伴著小芸、輕拍她的背部，小芸吸吮著奶瓶睡著的景象所感動。

在自己的多年遊戲治療經驗中，曾遇過幾位兒童真的拿起奶瓶吸吮，因此建議遊戲室中的奶瓶要放真的奶瓶。

「退化」行為的表現至少有兩種形式，一種是沒有得到滿足後，任性的退化，例如：賴皮躺在地板上哭泣、任性的攻擊輔導老師、破壞遊戲玩具，或是表現出「我不會」、「我不知道」等無能與無力的表現。面對這類型個案的處理可以依設限的三步驟（鄭如安，2012）進行介入，因為這種個案多半都是以此種「退化」行為作為要得到其需求的手段。另外，可能也要瞭解家長的管教態度，因為這類型個案的任性行為在現實生活中一定也常出現，且家長沒有辦法有效的規範個案的此種行為，因此，家長是需要幫助的。

另一種退化則是在諮商關係已充分建立，個案有足夠安全感之後，開始表現出比年紀更小的行為出來，尤其是常出現嬰幼兒的行為，本案例中的小芸就是此種類型的表現。這類型的個案多半是在成長過程沒有得到足夠的滋養，或是曾經轉換主要照顧者，如到寄養家庭、寄住親戚家等。因此輔導老師要做的就是滋養這個案，好好的滿足這個案內在的需求。就像此位輔導老師的做法，讓小芸也就像回到小嬰兒的年齡，享受著母親的呵護與照顧。

於是我隨著「幸福是什麼滋味」的歌詞節拍輕拍小芸的背，就像照顧小嬰兒一般，小芸則繼續不停的吸著奶瓶裡的飲料，很快的將眼睛閉起來，並安穩的睡著了。這個畫面和動作，讓我想起十幾年前，我輕拍女兒的背，陪伴她們睡覺的時光。

當個案沒有感受到被正向接納與滋養，很難在現實生活中有很健康的人際互動。在此案例中，我們看到個案其實有很強的生命力，她很努力的在為自己的生命找出口，但就是缺乏被接納、被滋

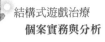

養的經驗，所以她也一直很挫折。在此時輔導老師與她建構了一段如此深刻的互動，輔導老師看到在憤怒、強壯的身體下，是一個渴望陪伴、孤單的心靈，也專心、開心的陪伴與撫慰，給了個案一個充足的正向陪伴與被看到。這真是一個令人欣賞的輔導老師。

Part 03

雨過終會天晴

結構式遊戲治療

個案故事

第一次見到五年級的阿宏，只見他一直抓著媽媽的右手，在我與媽媽交談的過程中，阿宏始終不發一語，緊緊挨著媽媽；而媽媽的目光也不時飄回阿宏身上。

「嗯……看來這對母子的關係非常黏密呢！」我心想，腦海中並閃過阿宏的導師曾說過的話：「阿宏這個學生本來很勤學，個性溫和又有禮貌；但不知道為什麼，最近他上學常遲到，甚至請假，在班上也常與同學起衝突，互相叫囂、打架鬧事，又頂撞科任老師……」。

單獨與阿宏進入遊戲室後，他開始東摸摸、西碰碰，好奇的探索室內的每一件物品。我則坐在一旁，專注的看著阿宏並回應他。

「你拿起這個看一看，又把它放回去。」

「對於這間放了很多玩具的遊戲室，你感到很好奇。」

阿宏最後拿起士兵與戰車，玩起兩方爭鬥的遊戲。前面三次的遊戲單元，阿宏在遊戲室裡一直都有呈現出戰爭與衝突之類的遊戲主題。

揭開「不能說的祕密」

第三次遊戲單元之後，我發現總是提早來到遊戲室的阿宏神態開始較為輕鬆自在，口語表達也比較多了，於是在與阿宏第四次見面時，我展示了十三張「家庭遊戲卡」並邀請阿宏編故事。

「阿宏，要不要來玩『看圖說故事』遊戲？你可以從這裡選出你感興趣的圖卡，並針對這張圖卡說一個故事。」

阿宏聞言將所有圖卡快速瀏覽一遍，若有所思地說：「喔……我大概知道這些是什麼了。」然後拿起一張圖卡小心翼翼的問：「我可以選這張嗎？」

「真是個心思敏感的孩子！」我心想，並做了這樣的回應：「嗯，聽起來你已經知道要說什麼樣的故事囉！你可以自己決定要選那張圖卡。」

「好！就這張了。」阿宏以堅定的口吻說。

「你看到這張圖卡中有哪些人？他們在做什麼呢？」我好奇問道。

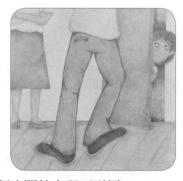

「這個……這個男生看到他的爸爸……和媽媽在……他們在吵架。」阿宏偏著頭一邊思索，一邊緩慢敘說著。

「嗯，這個男生看到爸媽在吵架。還有呢？」我身體向前微傾，繼續表現好奇的態度。

「還有……還有……沒有了！」阿宏開始表現不耐煩。

「那來猜猜看，吵架時，他們的心裡有什麼感覺呢？」我接著問。

「……」阿宏緊閉雙唇，皺起眉頭望著牆上的掛鐘。遊戲室頓時一片靜寂，只剩下時鐘「滴、答、滴、答」走動的聲響。

我知道愈是貼近阿宏的內在議題，愈容易遭遇抗拒的情況，於是我選擇先反應阿宏當下的心境：「你一直在看時鐘，似乎很想趕

快離開這裡。」阿宏繼續盯著時鐘看，彷彿有一世紀之久。我知道此刻他需要一點時間與空間，於是我暫時沈默，以平靜的心情注視著他，同時提醒自己：避免讓他覺得我是在監督或是強迫他回答。

　　為了讓阿宏免於自我揭露的困窘，能放心談論故事中主角的感受，於是我拿出「情緒臉譜」，改以邀請的口吻說：「這裡有一些心情圖案，你可以幫我找出圖片中這個男生，以及他爸爸、媽媽的心情嗎？」

　　「嗯！」阿宏不假思索、酷酷的從我手中接過一疊「情緒臉譜」，仔細端詳半天，終於選定了幾張並開心說：「嘿嘿！我找到了！」

　　「阿宏好認真在選喔！而且你能夠幫我找出他們的心情圖案耶！」我立即給予正向回饋，以提升其自尊心，進而鼓勵阿宏繼續陳述。

　　「對啊！這個媽媽很擔心家裡沒有錢，常常對喝醉的爸爸說：『你一天到晚只會喝酒，也不去找工作！你不知道家裡都沒錢了嗎？』然後她老公就很生氣罵回去，有時候還會打她。然後媽媽就難過得一直哭，

一直哭。」在我的肯定之下，阿宏滔滔不絕敘說著。

　　「然後這個男生看到爸爸媽媽在吵架，而且爸爸竟然打了媽媽，他就很討厭爸爸！可是……可是他也不知道該怎麼辦才好？他只好留在家裡保護媽媽。」說到這裡，阿宏的身子也顯得虛軟無力。

　　當下我感到既心疼又不捨，阿宏爸爸失業在家，酗酒；媽媽遭

受家暴，情緒低落；目睹家暴的小孩則成了整個家庭的「代罪羔羊」。原來阿宏憤怒、情緒暴躁，叛逆行為背後的內心竟是如此害怕與無助。

結束這次遊療單元之後，我約談了阿宏的媽媽並了解到阿宏所訴說的故事，即是阿宏生活經驗的投射，也因此驗證了我的假設。於是我依此擬定後續的諮商策略，一方面讓阿宏的媽媽看到這樣的人際互動模式及家庭動力，引導她去面對自己與先生婚姻生活的議題；同時，我也試著透過遊戲媒材引導阿宏接觸、表達他的情緒，進而釐清他面對父母親時糾結與矛盾的情緒，並試著讓他回到小孩的位置，接受照顧及滋養。

提供宣洩與滋養

在接下來第五次的遊療單元中，我拿出之前阿宏挑選過的那張「家庭遊戲卡」，並與阿宏回顧其敘說的重點。接著透過「行動語句」，我請阿宏為故事中的小男孩想想辦法，好讓小男孩的心情好一點。

我說：「前幾次看阿宏玩戰爭的遊戲，老師覺得你很會規劃作戰策略呢！這次能不能請阿宏想想看，這些『行動語句』中，有哪個可能是小男孩需要的？或是對他會有幫助的呢？」我相信個體皆有與生俱來自我引導的能力，並擁有內在療癒的智慧，能清楚知道自己需要什麼，因此提供阿宏自由選擇權，並提升他的掌控感。

阿宏很快地抽出「行動語句」──「**用出氣槌，把怒氣安全的發洩出來**」。接著我交給阿宏一個出氣槌，鼓勵阿宏宣洩其負向情緒：「阿宏，你要不要試試這支棒槌呢？」

阿宏遲疑了一下便接過出氣槌，輕敲了地板兩下「噗！噗！」

　　「在這裡，你可以盡情敲打地板。」我試著催化阿宏。

　　阿宏開始加重力道「碰！碰！碰！」，之後加快敲擊速度「碰碰碰碰碰……」

　　不知道過了多久，阿宏終於停下來了。只見他脹紅著臉，眼中泛著淚光，身子也不停的顫抖著。

　　「你用出氣槌來發洩內心的不滿與憤怒。雖然你很喜歡平常會陪你寫功課的爸爸，但是卻也很氣那個喝酒會打媽媽的爸爸！」我反應阿宏的心境並試著引導阿宏統整父親的形象──「好爸爸與壞爸爸」。

　　接著我播放輕柔音樂，引導阿宏練習深呼吸與肌肉放鬆，並按摩阿宏那因猛烈敲擊而紅腫不已的右手。

　　結束這次的遊療前，我送給阿宏一張「能量語句」──「**暴風雨後，會出現彩虹**」。阿宏看了露出微笑說：「是啊！我好期待彩虹的出現。」並選了另一張「能量語句」送給我──「**雖然不知道事情的變化，但我並不孤單**」，最後兩人將這兩句話分別寫在空白名片上，作為祝福小語送給了彼此。

案例實務分析與探討

接納、尊重與跟隨氛圍的建構

個案的抗拒真的是抗拒嗎？抗拒的背後常是隱藏著一個難以啟齒的祕密。

透過一間有許多玩具的遊戲治療室，常可以協助輔導老師跟個案更快的建立關係，但在遊戲治療初期仍會遇到個案的抗拒。此時輔導老師可以做的最好介入就是建構一種接納、尊重與跟隨的氛圍。

單獨與阿宏進入遊戲室後，他開始東摸摸、西碰碰，好奇的探索室內的每一件物品。我則坐在一旁，專注的看著阿宏並回應他。

「你拿起這個看一看。……又把它放回去。」

「對於這間放了很多玩具的遊戲室，你感到很好奇。」

這個容許個案探索的過程，配合輔導老師的跟隨式反應，其實就會讓個案感受到被接納與尊重。慢慢的，個案就會開始玩出一些遊戲主題。

當然，探索式的遊戲過程可能是一小段時間，也可能跨越幾次遊戲治療過程，這會因個案而異，但不變的是輔導老師的態度。

接觸與化解個案的抗拒

在這個實例中，輔導老師在穩定的關係基礎下，開始試著運用「家庭遊戲卡」來協助個案投射其內在。但這過程不是如此輕鬆簡單，畢竟要一個人講出壓抑在內心的祕密，不是一件簡單的事情。

當我們接觸到個案的議題而遇到抗拒時，可把握兩個原則：

1. 反應個案的內在感受

其實個案是真的在抗拒？或是在醞釀如何表達？我們很難在當下完全瞭解個案的狀態。但若能反應出個案當下內在的情緒感受，是一個極佳的處遇方式。

> 我知道愈是貼近阿宏的內在議題，愈容易遭遇抗拒的情況，於是我選擇先反應阿宏當下的心境：「你一直在看時鐘，似乎很想趕快離開這裡。」

當輔導老師反應個案當下的情緒感受後，他們的內在其實就已經有些轉變了——「嗯！這位大人（輔導老師）知道我的心情呢！」

2. 輕鬆且耐心等待的態度

另外更重要的一點就是，當個案在抗拒表達或是在醞釀如何表達時，他們同時也在觀望輔導老師的態度，輔導老師的態度會影響他們要繼續抗拒或試著開始表達。因此，我認為反應個案此時此刻的情緒感受是很適當的！

但也請輔導老師在進行反應情緒時，同時保持著輕鬆且耐心等待的態度。

> 阿宏緊閉雙唇，皺起眉頭望著牆上的掛鐘。遊戲室頓時一

片靜寂，只剩下時鐘「滴、答、滴、答」走動的聲響。

　　阿宏繼續盯著時鐘看，彷彿有一世紀之久。我知道此刻他需要一點時間與空間，於是我暫時沈默，以平靜的心情注視著他，同時提醒自己：避免讓他覺得我是在監督或是強迫他回答。

運用媒材減輕個案接觸議題的壓力

　　當個案在遊戲中說「動物們都討厭長頸鹿」時，這個「長頸鹿」可能就是個案本身的投射。透過長頸鹿這個玩具，讓個案能表露及接觸其負面情緒，因為此時是長頸鹿被討厭，不是個案自身被討厭。這種讓個案和被討厭的情緒保持一個距離的機制就叫「疏」離（鄭如安，2012）。

　　在此實例中，輔導老師運用「家庭遊戲卡」引導阿宏投射其重要的生命經驗，是符合遊戲治療中「疏」的機制。因阿宏講的是「家庭遊戲卡」中人物的故事，不是阿宏家的故事。

　　更值得肯定的是在這整個過程，輔導老師在運用「家庭遊戲卡」的同時，對於阿宏難於啟齒的困窘仍保持高度敏銳，並以一種合作邀請的態度，運用「情緒臉譜」來引導阿宏做更深入的接觸與表達。

　　為了讓阿宏免於自我揭露的困窘，放心談論故事中主角的感受，於是我拿出「情緒臉譜」，改以邀請的口吻說：「這裡有一些心情圖案，你可以幫我找出圖片中這個男生，以及他爸爸、媽媽的心情嗎？」

當一個人內心壓抑著一些情緒時，其實他非常期望能有一個人

可以聽他講。只是講給誰聽？何時可以講？如何講？就這個實例而言，輔導老師透過「反應個案的內在感受」和「輕鬆且耐心等待的態度」，已經建構了一個「可以講給我聽」，「現在我願意聽你講」的氛圍了。接下來，這位輔導老師又運用了「家庭遊戲卡」和「情緒臉譜」，引導阿宏以一種比較間接的方式講出他的故事。

▎掌控感帶給個案轉變的力量

「掌控感」是遊戲治療的一個重要療癒因子。個案在遊戲治療中透過對玩具、藝術材料和遊戲媒材的掌控，他們可以自己決定如何表達和控制內在的負面情緒，進而知道自己有能力克服這些負面情緒。

本實例中，輔導老師相信阿宏在接納的情境裡，他是有能力了解自己需要什麼，於是讓阿宏從「行動語句」卡中選一張他最需要的卡片。

在阿宏自己選了「**用出氣槌，把怒氣安全的發洩出來**」的「行動語句」之後。輔導老師提供出氣槌給阿宏，讓阿宏將「行動語句」的內容付諸行動──運用出氣槌表達心中的憤怒。

輔導老師此時只須在旁邊陪伴阿宏及表達接納與肯定阿宏的表達。

　　「在這裡，你可以盡情敲打地板。」我試著催化阿宏。

　　阿宏開始加重力道「碰！碰！碰！」，之後加快敲擊速度「碰碰碰碰碰……」

　　不知道過了多久，阿宏終於停下來了。只見他脹紅著臉，眼中泛著淚光，身子也不停的顫抖著。

隱喻的教導給予新的領悟

在強烈的核心情緒表達完之後，輔導老師對個案進行正向的滋養或回饋，常可以協助個案有新的領悟。

在此實例中，輔導老師透過播放輕柔音樂，引導阿宏練習深呼吸與肌肉放鬆，並按摩阿宏那因猛烈敲擊而紅腫不已的右手。這是相當有滋養的效果。但這種有身體接觸的滋養，必須考慮性別、年齡及諮商關係。

運用「能量語句」的內容進行隱喻的教導亦有加乘的效果。隱喻的教導是可以降低或避免個案的防衛，幫助個案學習新的領悟、觀點和問題解決策略的一種方法。

輔導老師送給阿宏能量語句──「**暴風雨後，會出現彩虹**」。阿宏看了露出微笑說：「是啊！我好期待彩虹的出現。」這是多麼有正向的效果。而且阿宏還選了「**雖然不知道事情的變化，但我並不孤單**」的「能量語句」送給輔導老師，證明阿宏知道父母間的衝突不完全是他能掌控的，當然也就不完全是他的責任，但他知道有一位輔導老師瞭解他且願意陪著他。

Part
04

有愛相隨幸福永在

個案故事

　　6歲的小芙出生後即不知生父是誰，後來跟著媽媽再嫁，再嫁後媽媽生下現在2歲的妹妹，原本一家人生活還算穩定，但卻在一年前，繼父與媽媽相繼罹患重病。據導師描述自從爸媽生病後，小芙很懂事的擔負起協助照顧妹妹的責任，凡事禮讓妹妹，對於媽媽交待的事情也都很認真的完成。這或許是媽媽的期待，也或許是小芙自己的決定。小芙變得越乖巧聽話的同時，也開始壓抑自己的情緒，在家庭外整個人也變得較退縮。

　　因為爸媽相繼生病，實在無力照顧小芙姊妹，小芙必須暫時被安置在寄養家庭。在被安置到寄養家庭後的小芙似乎把自己封閉了起來，不願意與人溝通互動，更不願意表達出內在的情緒。

　　在她很聽話的幫媽媽照顧妹妹、認真的完成媽媽交待的事情之際，不就是希望媽媽能安心養病早日康復，讓她擁有一個完整的家嗎？可是現在她卻必須離開自己的家，去住在別人的家。她在想什麼？她的心情又是什麼？

　　「為什麼你們要強制將我和家人分開！寄養家庭很漂亮、很舒適，但它不是我的家，寄養家庭的爸媽及他們的孩子都很友善，但他們不是我的家人！我要回家！」

　　我在心中猜測著小芙的想法。

從陌生中尋找熟悉

　　小芙第一次進入遊戲室時，先是怯生生的站在門口，抿著嘴一動也不動，雙手手指僵硬扭曲，當她感受到我意圖往前靠近她時，她身體往後縮了起來，如同一株含羞草。

　　我想對小芙而言，一個陌生的環境，加上我又是一個陌生的人，緊張是難免的，我告訴自己不要急躁，要慢慢的跟著她的步調靠近她。

　　小芙手指的僵硬扭曲，就顯得有點特別了，是顯露她內心的緊張、焦慮、擔心，或是害怕呢？也或許是多次突然的分離經驗所導致。

　　我看著雙手抱胸、低著頭的小芙，然後在她面前慢慢的蹲了下來，告訴她說：「小芙，從現在開始妳可以在這裡玩，一直到長針走到十二時結束。」

　　小芙一句話也沒有說，還是靜靜的站著，不過眼睛已經開始慢慢看向遊戲室中的櫃子。

　　接著，我拿起事前準備好的布偶娃娃放到小芙的眼前，告訴小芙說：「小芙，以後每次在這裡，除了我之外還有這個布偶娃娃會陪伴妳。妳可以幫它取個名字喔！」

　　小芙音量相當小的說：「好。」之後則是陷入長時間的沈默。但從小芙的表情當中，可以看出她真的很認真在想。

　　看著小芙認真的表情，我也很專注的在旁邊等待著。我知道我不能急躁，小芙需要一點時間。

　　約莫一分種後，我說：「小芙好認真在幫布偶娃娃想一個名字。」

　　小芙持續沈默著，就在我開始有點擔心命名對她而言是否有困

難時，我看到小芙的嘴唇有些顫動。

　　於是我說：「小芙已經快幫布偶娃娃想到名字囉！」

　　不久，小芙開口說：「大眼娃！」此時小芙羞怯的臉上浮現些許笑容。

　　「小芙好高興幫布偶娃娃取了名字喔！」，「可不可以說說看如何想到這個名字？」

　　小芙輕輕的吸了一口氣後說：「因為娃娃眼睛很大，以前有位會跟我玩的大姊姊眼睛也很大，很久沒看到她了，只記得人家都叫她『大眼娃』。」

　　「所以小芙就決定叫布偶娃娃──大眼娃。」

　　小芙面帶笑容的回答：「對！」。此時小芙抱著大眼娃，開始去碰觸遊戲室櫃子中的各式玩具。

　　多麼特別的歷程，本來只想利用布偶娃娃物件與小芙有一個正向的接觸，沒想到經由命名的過程，小芙自己將曾經是那麼熟悉的一個玩伴連結到眼前的布偶娃娃，此時在小芙心裡，大眼娃不僅是一個布偶娃娃，也是兒時玩伴的重現；在這個陌生環境中，小芙不再孤單，因為有了大眼娃的陪伴。此時的我不禁感佩孩子自身所擁有的能力，透過布偶與之前生活中的夥伴連結，讓自己在陌生環境中不再感到孤單，或許只要我們願意相信、願意陪伴，生命就會找到出口。

熟悉的陪伴帶來安心

　　小芙有了大眼娃的陪伴之後，開始向遊戲櫃走了過去，雖然步

伐還是相當的小而緩慢，但這對小芙而言真的是很大的進展，因為從剛進來的全身緊繃到願意往前走，的確是很不容易啊！我看著小芙一手抱著大眼娃，一手輕碰櫃中的物品，一時之間似乎還很難決定要玩些什麼。

我輕聲的對小芙說：「小芙，在這裡妳要怎麼玩就可以怎麼玩。」

小芙不發一語的點點頭，接著就從櫃子中拿了一張圖畫紙及一盒彩色筆，然後走到桌子前面坐下。

我看著小芙說：「我看到妳跟大眼娃選了一張圖畫紙，並拿了一盒彩色筆到這邊。」

小芙靦腆的用細小的音量回答：「我要畫畫。」

「妳已經自己決定要畫畫了。」

接著小芙很快的在圖畫紙上畫了兩個人在玩跳繩。

「有二個人在玩跳繩。」

小芙主動表示：「一個是我，另一個較大的是大眼娃，我們以前曾一起玩。」

「所以小芙和大眼娃是好夥伴囉！」

小芙露出微笑的說：「對呀！」

我想剛進入遊戲室時有如含羞草一般的小芙，從物件布偶大眼娃身上找到熟悉感之後，漸漸適應了這個陌生的環境，整個人也不再那麼僵硬緊繃。有了布偶大眼娃的陪伴，小芙在遊戲過程愈來愈主動，但仍是以靜態活動為主。

信任讓人展現自我

第二次進行遊戲治療時，當小芙停留在玩具球棒前，我看到她

的目光停留在那邊許久，似乎在考慮些什麼。

我對著小芙說：「妳好像在考慮該玩些什麼，在這邊妳可以決定妳要玩什麼。」

此時小芙小心翼翼的拿出球棒說：「我要打棒球。」

我笑著說：「好啊！妳想怎麼打？」

小芙想了一下說：「你丟給我打。」

我再詢問小芙說：「那要用哪顆球呢？」

小芙看了看四周，眼光停留在放置塑膠球的櫃子，然後用手指著說：「就用那邊的球好了。」

我點點頭說：「妳做了選擇，妳決定用哪個球，我們就用哪個球。」

我想在這個過程裡，讓小芙有完全的自主權，對她來說是一項新的體驗，也讓她看到自己真的可以決定好多事情。

我拿起球看著小芙說：「我要準備投出第一球囉！」

小芙點點頭說：「好。」

於是我輕輕的將球投出，結果小芙大棒一揮將球擊到玻璃窗上，她當下張著嘴巴愣住，似乎擔心自己是闖禍了。

於是我揮舞著手說：「哇！妳第一球就打出全壘打囉！」

此時小芙才跳起來說：「我好厲害，打得好遠喔！」

接下來小芙與我一起打棒球好幾回，過程中我看到小芙與以往的文靜完全不同，在我眼前的是一個極為活潑的小芙，我想當小芙擊出第一球時是擔心的，結果我給了一個正向積極的反應，這對小芙而言應該是一個被接受、信任的感覺，所以小芙願意一步一步展現較真實的自我。

▊帶著快樂向前走

在遊戲治療過程中，小芙對於寄養的生活也逐漸適應，但因媽媽的健康狀況似乎無法有所改善，因此媽媽已同意將小芙出養，所以小芙未來可能無法回到原生家庭，且又要轉換不同的家庭，內心或許又要受到另一波的衝擊；想到這邊，著實會讓人感到不捨，不過要如何談論這個議題，也讓自己苦思了許久，畢竟現在的小芙過得很快樂，內心也對重返原生家庭有所期待，真的不忍心看她必須再一次面對分離，不過這個結果還是小芙要去面對的，因此當務之急還是要設法協助小芙來面對未來的改變與做好心理上的調適。

後來找到了一本《小丑找新家》（昆汀‧布萊克，1999）的繪本，讓我可以試著讓小芙來分享面對分離時自己的想法與情緒。

《小丑找新家》是相當特別的繪本，它是沒有文字描述的圖畫書，但過程中可以看到小丑布偶雖然一再的被丟棄在垃圾箱，但小丑布偶仍然很積極的去跟人互動，表現出自己的能力。雖然後來又被三翻二次的趕出門，但小丑布偶一直都不放棄，最後不但為自己和好友們找到了新家，還帶領著小女孩用自己的雙手，開創出自己的幸福！於是我決定邀請小芙共同來看這本繪本。

「小芙，你看這位媽媽拿了什麼出來？」

小芙大聲的回答說：「她拿了一堆布偶要把它們丟進垃圾筒。」

翻到下一頁。

小芙瞪大眼睛叫著：「那個小丑布偶還會自己跑下來跳舞呢！」

「對啊！」

小芙很有興趣的看下去。「現在小丑布偶好像去找人跟他玩，

小朋友都很喜歡他。」

「哇！」小芙有些失望的表情。「可是又被另一個小朋友的媽媽丟掉了。」

「妳看到小丑布偶又被丟掉，感到好難過喔！」

翻到另一頁。

小芙臉上出現著急狀：「壞狗在追小丑布偶，快跑！快跑！被抓到了，還被大力的丟了出去。」表情顯露焦急。

「妳很擔心小丑布偶。」

翻到新一頁，出現新的圖片。

小芙有些喜悅：「小丑布偶剛好被丟進小baby的房間，小丑布偶開始表演特技，小baby好開心！」

「看到有人喜歡小丑布偶覺得很開心！」

「對啊！」小芙帶著興奮的語氣說：「你看小丑布偶還帶他們去找其他布偶。」

「Ya！」（歡呼聲）

「Ya！小丑布偶找到新家囉！」

閱讀繪本的過程，我看到小芙對於被遺棄與分離是感到相當難過的，不過若能讓她去體會分離調適後的正向感受，應能增加其適應新環境的能力。因此，我藉由每次陪著我們一起遊戲的大眼娃布偶與小芙有了以下的對話：

「小芙，妳知道大眼娃最早是住在哪裡嗎？」

小芙搔頭思考，說：「住在你的袋子裡。」

「那在我袋子之前呢？」

小芙毫不考慮地說：「在你家裡。」

「那大眼娃到我家之前呢？」

　　小芙搖晃著頭：「嗯！在商店裡。」

　　「那更早之前呢？」

　　小芙想了一下：「我知道了，工廠裡。」

　　「對呀！所以大眼娃住過很多地方呢！那小芙住過幾個地方？」

　　小芙舉起手指頭邊算邊說著：「我媽媽家、姨婆家及林媽媽家（寄養家庭）。」

　　「大眼娃先住工廠，然後商店老闆覺得會有人喜歡就把它買來放在店裡；接著我去店裡看到了也很喜歡，就把它買回家；等到要跟小芙見面時，我想小芙應該也會喜歡它，就帶著它一起來認識妳、陪伴妳。」

　　「我很喜歡它。」小芙將大眼娃抱在胸前。「我也幫它取了『大眼娃』的名字。」

　　「妳真的很喜歡它，所以大眼娃快不快樂？」

　　小芙高興的表情：「大眼娃很快樂！」

　　「那小芙也一樣換了幾次家，不知道小芙是不是也像大眼娃一樣快樂？」

　　「我也很快樂，」小芙頭低了下來。「不過剛換來林媽媽家（寄養家庭）時覺得有點怪怪的，但過些時間就好了。」小芙抬起頭露出了微笑。

　　「對呀！大眼娃剛換新的家時，因為面對的是一個陌生的環境，也是會感覺有點怪怪的，不過感受到大家的和善與對它的喜愛之後，相信它又跟妳一樣快樂囉！」

　　小芙瞪大眼睛：「那大眼娃又要換新家了嗎？」

　　「對呀！我們結束後大眼娃就要換回小芙的家囉！以後妳要陪

伴大眼娃，讓它趕快適應新的家喔！」

「我會讓大眼娃很快變快樂。」

「真好，大眼娃一定高興極了；未來當妳和大眼娃又要一起換新家時，就可以相互陪伴適應新的家，繼續過著快樂的生活。」

「我和大眼娃都會很快樂的。」小芙抱著大眼娃高興的跳著。

離開原生家庭到一個新環境，適應上本來就是不容易的，尤其剛適應好一個家庭，又要換到另一個全新的家，對小芙來說真的是很大的挑戰。透過先前與小芙已建立關係的物件客體，與小芙所面對的課題做一個連接，藉由物件所經歷的過程，小芙看到了自我的經驗，也表達出內在的情緒與想法。相信未來在此物件的陪伴下，小芙將更有能量去面對挑戰並適應新環境。

案例實務分析與探討

每個孩子所呈現的不適應問題，都有其背景脈絡

當接到一個新轉介個案時，透過與老師、家長或其他主要照顧者對其家庭及成長背景收集相關資料，會讓你更容易瞭解個案不適應問題的根源。

本案例之輔導老師看完轉介資料後，內心有一個很深的同理，我非常欣賞輔導老師的這份同理，因我相信這不僅是一份同理，更是一個自我的覺察，這將有助於即將展開的遊戲治療歷程。這樣的覺察與同理不見得完全正確，但它卻是每位輔導老師學習與成長必做的功課。

> 在她很聽話的幫媽媽照顧妹妹、認真的完成媽媽交待的事情之際，不就是希望能讓媽媽安心養病早日康復，讓她有一個完整的家嗎？……

兒童非口語行為的瞭解

兒童諮商或遊戲治療和一般的口語諮商最大的差異，就是兒童受限於認知及抽象思考能力發展的限制，他們不善於以口語方式充分表達他們的想法與心情，但他們卻能夠透過隱喻、象徵、非口語行為的形式表達內在深刻的感受與想法。兒童在遊戲治療過程中口語表達通常不多，因此，遊戲治療師對於兒童的非口語行為要非常

敏感。我們要練習讀到、讀懂兒童的非口語行為訊息。

　　試著再閱讀一次輔導老師對此個案非口語行為的覺察與具體描述：

　　　　站在門口，抿著嘴一動也不動，雙手手指僵硬扭曲，當她感受到我意圖往前靠近她時，她身體往後縮了起來……

　　　　雙手抱胸、低著頭的小芙……

　　　　小芙一句話也沒有說，還是靜靜的站著，不過眼睛已經開始慢慢看向遊戲室中的櫃子。

　　看了上述非口語行為的描述，你是否也對小芙有更多的認識？因此，練習把兒童的口語描述內容放著，僅觀察非口語行為，你會發現這些非口語行為也告訴了我們很多的訊息。

跟隨兒童的步調──關係建立的重要關鍵

　　沒有一位輔導老師會否定關係建立的重要性，那麼，究竟要如何與兒童建立關係呢？

　　對許多兒童而言，日常生活中多半是扮演著被決定的角色，沒有發言的權力，或是面對許多的現實是他們無法也無力改變的，例如：父母的離異、轉學、災難意外導致的創傷經驗……。本案例中，生父與母親的離異、母親與繼父的生病、被安置在寄養家庭等，都不是小芙能決定與改變的。

　　在這樣的成長經驗脈絡下，加上又是第一次與輔導老師見面，小芙顯得非常退縮，輔導老師形容小芙像一株含羞草。

　　面對這樣的兒童，輔導老師選擇專注地跟隨著小芙的步調。

　　我告訴自己不要急躁，要慢慢的跟著她的步調靠近她。

　　「小芙，從現在開始妳可以在這裡玩，一直到長針走到十二時結束。」

　　接著，我拿起事前準備好的布偶娃娃放到小芙的眼前，告訴小芙說：「小芙，以後每次在這裡，除了我之外還有這個布偶娃娃會陪伴妳。妳可以幫它取個名字喔！」

　　小芙音量相當小的說：「好。」之後則是陷入長時間的沈默。但從小芙的表情當中，可以看出她真的很認真在想。

很多初學者對於上述這樣緩慢的過程會有焦慮，若這種沈默或兒童沒有反應的時間長一點，初學者常會陷入高度焦慮，覺得自己該做些什麼，讓兒童能講講話或做些活動遊戲之類的。因此就容易有過多或過快的介入，其實這都只是輔導老師試圖想降低自己的焦慮。

　　在此，我還是要再次強調此案例輔導老師的跟隨是一種積極且尊重兒童的介入，輔導老師必須深度的同理與瞭解兒童當下的內在感受，然後配合著這種對兒童的瞭解做反應。

　　試著以此案例做說明。

　　看著小芙認真的表情，我也很專注的在旁等待著。我知道我不能急躁，小芙需要一點時間。

　　約莫一分種後，我說：「小芙好認真在幫布偶娃娃想一個名字。」

　　小芙持續沈默著，就在我開始有點擔心命名對她而言是否有困難時，我看到小芙的嘴唇有些顫動。

於是我說：「小芙已經快幫布偶娃娃想到名字囉！」

上述這樣的過程有很多時間是沈默的，但實際上輔導老師是完全專注個案身上，如「看著小芙認真的表情，我也很專注的在旁邊等待著。」

而且整個過程是非常積極的跟隨與介入，同時也不斷的在自我檢視自己的內在狀態及介入的恰當性。如「小芙持續沈默著，就在我開始有點擔心命名對她而言是否有困難時，我看到小芙的嘴唇有些顫動。於是我說：『小芙已經快幫布偶娃娃想到名字囉！』」

也因為輔導老師的這種態度才得以與個案建立起好的關係。

自由遊戲有助於提升兒童的自尊

輔導老師面對像小芙這類比較「緊」的個案，提供一個兒童中心遊戲治療的自由遊戲時間是很恰當的。許多研究都指出兒童中心遊戲治療能夠有效提升兒童的自尊及我能感，至於是什麼讓兒童的自尊提升了？個人認為除了輔導老師所建構的接納、尊重的氛圍之外，我更認為「提供選擇與做決定」此技巧具有關鍵性的影響，在此就以此案例做說明。

我輕聲的對小芙說：「小芙，在這裡妳要怎麼玩就可以怎麼玩。」

小芙靦腆的用細小的音量回答：「我要畫畫。」
「妳已經自己決定要畫畫了。」

我對著小芙說：「妳好像在考慮該玩些什麼，在這邊妳可以決定妳要玩什麼。」

此時小芙小心翼翼的拿出球棒說：「我要打棒球。」

我笑著說：「好啊！妳想怎麼打？」

小芙想了一下說：「妳丟給我打。」

我再詢問小芙說：「那要用哪顆球呢？」

小芙看了看四周，眼光停留在放置塑膠球的櫃子，然後用手指著說：「就用那邊的球好了。」

我點點頭說：「妳做了選擇，妳決定用哪個球，我們就用哪個球。」

人之所以活得有尊嚴就是要能有自主性。

很多長輩會告訴他的兒女，當他有一天若需要靠著醫療器材才能延長他的生命時，請不要為他急救，讓他尊嚴的離開。因為此時的他是沒有自主性的，這樣的「活」是沒有尊嚴。

可見能選擇與決定的重要，從上述案例的過程，我們看到輔導老師完全讓個案可以做選擇與決定。

接觸個案的痛之前，請先為他做好療傷的準備

諮商的過程常是要面對許多的傷與痛，輔導老師似乎也無法避免接觸到個案的傷與痛。但請記得這句話：「接觸個案的痛之前，請先為他做好療傷的準備」。

適切的故事、繪本與具體象徵物件接觸兒童的傷與痛

兒童的抽象思考尚未完全成熟，因此與兒童互動常需要藉助具體的物件，如繪本故事、玩具及不同的象徵物件。至於要如何找到

適切的繪本故事與物件，那就是一個平日要下的功夫了，必須不斷收集且加以整理。

在此案例中，輔導老師非常用心的找到一本適切的繪本——《小丑找新家》。小丑的故事貼切的反映小芙的故事，可以接觸到小芙的傷痛，而這樣的接觸傷痛卻又不會太強烈，因為我們講的是小丑的故事，不是小芙的故事，避免了直接的情緒衝擊。這也是使用繪本故事或物件的一個優點。

輔導老師運用繪本接觸到了兒童的傷痛之後，接下來一定要有療傷止痛的介入。我們無法保證哪些方法一定有效，但每位輔導老師心中應該都要有此概念，也都要有一些準備。

在此案例中，輔導老師應用了在第一次見面時就建構的布偶「大眼娃」。

這個大眼娃布偶因為每次遊戲單元都會和輔導老師一起出現，且輔導老師也運用此客體和小芙互動，隨著諮商的進行，此大眼娃布偶也和小芙有了很深的連結，這也是我常提倡的建構一個「過渡性客體」概念。在此再簡要的說明一下過渡客體的建構。

一個含有正向情感成分，又具有象徵意義的物件，都是非常好的客體。每個人在不同階段都可能會有不同的客體，它不僅限於3歲以前的安全依附客體。結婚儀式中男女生交換的戒指，一個獎盃、玉山攻頂留下來的相片或證明書、第一支手錶……，這些物件都有其意義，而且若這些物件都蘊含著一段故事，那這些物件都是極好的過渡客體。大眼娃布偶也象徵一個故事，大眼娃陪著個案經歷離開原生家庭及轉換寄養家庭的過程。

諮商總是會有結束的一天，但大眼娃可以讓個案帶走，陪著她繼續走她人生的路。所以，輔導老師很巧妙的利用《小丑找新家》

繪本和大眼娃布偶與個案連結，同時讓個案感受到有一個陪伴者——大眼娃陪著她到新的家庭，整個過程是一個很好的介入，也做到「接觸個案的痛之前，請先為他做好療傷的準備」。

「對呀！我們結束後大眼娃就要換回小芙的家囉！以後妳就要陪伴大眼娃，讓它趕快適應新的家喔！」

「真好，大眼娃一定高興極了；未來當妳和大眼娃又要一起換新家時，就可以相互陪伴適應新的家，繼續過著快樂的生活。」

相信未來在大眼娃的陪伴下，小芙能更有能量來面對挑戰適應新環境。

Part
05

永不止息的愛
是我力量的泉源

個案故事

　　阿哲是一位國小五年級男生，和弟弟阿旭都是因為常被媽媽毆打，經導師通報而轉介。阿哲的爸爸在他3、4歲就去世了，目前暫時被安置在奶奶家。依據社工的描述，阿哲在學校沒有特殊問題行為，但是曾表示若回媽媽家，他寧可跳樓去死；阿哲過去受虐的負面情緒似乎仍深深影響著他那幼小的心靈。

　　看了阿哲的資料，心想如果阿哲因為過去的經驗而擔心與媽媽同住，感到恐懼是自我保護的自然反應吧！在正式進入諮商時，我得先確定阿哲是否能夠穩定的住在奶奶家。另外，我也很好奇，長期被媽媽毆打的孩子，是什麼力量讓他在學校仍能像一般孩子，沒有出現問題行為？被毆打的經驗對他的內心有何影響呢？

　　兩次的遊戲治療過程，阿哲雖然對我的每一個邀請都馬上配合進行或回答；但是，似乎從未主動說話。

　　一開始，我會以「情緒臉譜」請阿哲分享一週來的生活故事。

　　當我開口邀請阿哲選「情緒臉譜」時，阿哲總是認真的注視著我，隨即低下頭仔細審視一張張的「情緒臉譜」，然後很快的挑出2～3張，接著又抬頭望著我，等候我的反應。當我繼續問阿哲每一張臉譜的故事，阿哲沉默1、2秒後，會用簡單的一句話回答我，除此之外，並不會自發的提到更多相關的敘述。

　　「阿哲，你選了開心的臉譜，是不是最近有什麼讓你覺得開心的事呢？」

「去表哥家玩電腦。」

了解阿哲一週來的生活後，我會讓阿哲自己決定接下來要進行什麼。阿哲總是不假思索就選擇排列樂高積木做建築物。雖然是玩樂高積木，阿哲在過程中卻會出現「保護」與「安全」的遊戲主題。

例如，阿哲將我特別為他準備的布偶小熊，當作是建築物的主人，並排列許多動物層層保護著小熊。阿哲完成作品後，會停下來抬頭看著我，表示完成了，等候我帶著另一隻布偶過去訪問阿哲做了些什麼。

整個過程給我的感覺就是一位好安靜、好順從的孩子啊！阿哲在遊戲治療過程中，他的口語和非口語總是傳遞出等候決定與允許後，他才敢做出回應的互動模式。或許這就是為了不要被媽媽毆打，所學會與成人互動的方式──保持警戒與乖順的生存方式。

遊戲治療是要建構一個自由且可以充分表露的治療情境，我要怎麼讓阿哲感受到在這裡他可以自由選擇與表達呢？我很努力表達我的善意，但是阿哲似乎還是需要時間感受更多的安全感。

在有了省思之後，我決定第三次遊療時加入「語句完成測驗」的活動，以便收集更多資料，評估他如何看待自己以及與媽媽的關係。同時為了讓阿哲輕鬆自在，我決定運用趣味活動的方式來進行。

「阿哲，今天前半段的時間，我們要來進行一個接句子的遊戲，我會說前面幾個字，你要馬上接著完成一個句子，愈快愈好，沒有正確答案，你想到什麼就說出來，我會幫你計算時間喔！」

「好。」阿哲一如往常馬上表現出配合的反應。

「我的媽媽……」，「很恐怖像母老虎。」（露出無辜的眼神望著我）

「我的爸爸……」，「是個很好的人。」（眼神稍微垂下沒有特別的表情）

「我不能……」，「回到媽媽那裡。」（很快說出答案，聲音有點變小）

進行1/4的題項後，為了肯定阿哲的認真，也幫助他保持專注參與遊戲，我加入一些鼓勵的話語。

「哇！你已經完成一關，接下來要進入第二關。準備好了嗎？」

「嗯！」

「我最大的恐懼是……」，「要回到媽媽家。」

「使我痛苦的是……」，「被媽媽打。」

當下，我的內心為多年來受苦的阿哲輕嘆了一聲。所有關於負面情緒的句子，每一題都和媽媽有關，不知道的他的內心是否也深藏著說不出的嘆息呢？

「我長大後……」，「要當警察。」

我的內心一亮，在受苦的過程中，讓阿哲想成為主持正義的警察嗎？這和他在遊戲中的主題，總是需要保護與安全似乎是相互呼應的。

「小時候……」，「爸爸很疼我。」

「我希望……」，「爸爸還活著。」

阿哲並未顯露明顯的情緒，但是，我注意到他的臉微微的轉向另一邊，小聲但是毫不猶豫且清楚的回答。

從「語句完成測驗」中，可以得到兩個重要的主題，主題一：阿哲對媽媽的感受以及害怕回家的情緒；主題二：阿哲的爸爸在其心目中是個安全的客體，以及阿哲對爸爸過世的失落情緒。

我想透過一些策略性的遊戲協助阿哲表達對爸爸的想念，並把這份對爸爸的正向的感受轉化為阿哲前進的力量。除此之外，想當警察的願望讓我精神為之一振，我相信阿哲本身內在潛藏著正向的能量。

　　「阿哲，這裡有一些動物，我想邀請你選一個動物代表自己，另一個動物代表爸爸。」

　　阿哲安靜專心的聽完我的描述，隨即在許多動物物件中，選擇了一隻狗代表自己，又選了一隻羊代表爸爸。

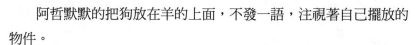

　　「我看到你選了羊代表爸爸，這隻羊是什麼樣的個性呢？」

　　「很溫和。」

　　「喔，他是一位很溫和的爸爸。你可以擺出希望爸爸在哪個位置嗎？」

　　阿哲默默的把狗放在羊的上面，不發一語，注視著自己擺放的物件。

　　「好像你希望爸爸把你背在身上。」我的心裡有點難過，感受到阿哲思念爸爸，渴望被爸爸疼愛卻不可得的失落。

　　阿哲安靜的點點頭，並沒有抬頭看我。

　　「這裡有些『情緒臉譜』的卡片，你覺得現在你和爸爸的心情如何呢？」

　　阿哲很快地選擇了「快樂」、「滿足」、「輕鬆」等正面的情緒卡片。

　　「當爸爸背著你，你們都覺得很快樂，很滿足也很輕鬆。」

　　阿哲依舊沒有說話，看著自己擺出的狀態，輕輕的點頭。

「這裡有一張圖畫紙，一些黏土和彩色筆；如果你要送給爸爸一份禮物，你最想做什麼給爸爸？」

阿哲抬頭看了我2秒，又低頭想了大約5秒，很快的用黏土做了一個爸爸的人形，肩膀上面坐著阿哲，寫上快樂兩個字。

「你想把這個送給爸爸，讓他知道你很喜歡讓他背著。」

「嗯！」阿哲輕輕的發出聲音。

「阿哲，你想把你和爸爸在這裡相會的經驗拍下來嗎？」我順手遞給他數位相機，並做出邀請。

阿哲點點頭，小心翼翼的先把代表自己和爸爸的動物，放到要送給爸爸的作品上，仔細調整角度，連續拍了兩張。

「我相信爸爸也有一些話想對你說。這裡有一些卡片，以你對爸爸的了解，爸爸會說什麼來鼓勵你呢？你可以選三張最像爸爸會說的話。」

我拿出「能量語句」，希望藉著阿哲認為爸爸會鼓勵自己的話，將他對爸爸的想念化為前進的正向力量，同時也感受到來自爸爸的愛。雖然爸爸已經去世，但是我相信愛是永不止息的。

阿哲很認真的一張張瀏覽，很快的找出三張「能量語句」──「暴風雨後　會出現彩虹」、「相信自己　沒有事情會難倒我」、「露出微笑　放鬆心情　是給自己最好的禮物」。

「哇！爸爸對你說了很重要的三句話，你要不要把這三句話寫在卡片上，然後貼在你的本子呢？」我遞給阿哲一盒印有各式圖案的空白紙卡讓他挑選。

阿哲依舊安靜，同時很快著手動作，將爸爸鼓勵自己的話記錄下來。

　　看著阿哲仔細又認真的態度，我相信他正用內心與爸爸彼此互動著，說話甚少的阿哲在這次結束時，望著我露出堅定發亮的眼神，我更加確信阿哲雖然經歷煎熬，卻仍然散發著正向的能量，因為在那痛苦的背景中，珍藏著爸爸溫柔的愛。

後記

　　「語句完成測驗」是診斷遊戲中，極為簡單且常被使用的工具，個案在語句完成的過程中，常常能夠貼近自己的內在世界。上述故事中阿哲通常很安靜，也沒有顯而易見的行為問題，為了確定諮商方向，使用適合的診斷工具，可以幫助我獲取有效的訊息，發現可以進一步和阿哲探索的主題。藉此，我得以了解阿哲對媽媽的恐懼感受，以及對爸爸的思念兩個重要的主題，然後進一步透過策略性遊戲，幫助阿哲整理內在的感受。

　　透過選擇不同的動物，讓阿哲具體化表達對自己以及對爸爸的主觀感受，動物的屬性、大小、彼此位置的方向、遠近，都協助阿哲呈現他和爸爸的親近關係，以及內心隱藏的渴望。搭配「情緒臉譜」的應用，阿哲充分說明了當下的心情。同時，為了協助阿哲將對爸爸過世的失落，轉化成為向前邁進的力量，我請阿哲送給爸爸一個禮物來完成心願。除了讓阿哲表達這份對爸爸的思念，我也希望讓這份愛的力量跟隨著阿哲，我讓阿哲透過「能量語句」的選擇，揣測爸爸對阿哲的鼓勵，記錄在小卡片並貼在本子上，讓這份愛的力量是看得見摸得著，藉此深化對阿哲正面的影響。

　　另外，阿哲屬於受虐兒童常見的過緊與需求權力的心理狀態

——第一象限的「王妃公主型」[1]，我在遊療結束前，讓阿哲使用照相機，除了見證他與爸爸相會的場景，也讓他增加掌控感和提升我能感，同時為未來結案作回顧歷程預備。

1 鄭如安（2012）依橫軸——緊V.S鬆及縱軸——親密需求V.S權力需求，將兒童分為四種類型，分別為「王妃公主型」、「孫悟空型」、「孤雛淚型」和「含羞草型」。

案例實務分析與探討

每個行為的背後都有他的原因

相信多數人都同意「每個行為的背後都有他的原因」。

輔導老師更要學習常常問自己：「個案這樣的行為背後，到底是存在著什麼原因？」。

我們不見得可以立即得到答案，但我們就是抱持著一個好奇、尊重且細心呵護的態度，逐步的探索、逐步的進入孩子的內心世界。

在這個案例中，輔導老師依照個案感到安全的速度，逐步的走進個案的內心世界。輔導老師的具體作法之一就是讓整個輔導單元很有結構、很有節奏。輔導老師總是「以『情緒臉譜』請阿哲分享一週來的生活故事。」然後「讓阿哲自己決定接下來要進行什麼。」再來就是，輔導老師善用各種具體的媒材，如「情緒臉譜」、動物物件、「能量圖卡」來協助個案接觸其內在感受。這都有助於個案安全感的提升。

遊戲主題與個案議題的相關

每個人都有這樣的經驗，一件掛心的事情未解決之前，就會一直以不同的形式呈現內在的狀態。例如：一個擔心孩子還沒回到家的媽媽，她會一直撥打手機、重複的看手錶、注意是否有電話、聽

外面的聲音，確認是否是孩子回到家了？這些重複性的行為其實就是內在焦慮的反映。由此更說明在遊戲治療過程中，重複出現的遊戲行為和遊戲主題都是有意義的。

Terr（1981）發現經歷過創傷的個案，當治療關係發展出安全感和信任感之後，在遊戲治療的過程中，會一再的重複出現與創傷經驗有關的遊戲主題，亦即「創傷後遊戲」（post-traumatic play, PTP）。

Benedict和Mongoven（2004）也指出對個案重要的情緒經驗或生活事件，會在他的遊戲中重複出現，重複的遊戲主題可能顯示個案正在處理自己的情緒問題，個案透過他的遊戲來表達一種內在情緒的動力，並藉此修復他的情緒經驗。遊戲主題（play theme）可以說是個案內心世界的縮影（王世芬、王孟心譯，2008），並且是和過去或現在的生活經驗有關（Holmberg, Benedict & Hynan, 1998）。所以，對於被某生活經驗事件所困擾的個案，會將他的行為、想法和感受隱喻在其遊戲中且會重複出現（Benedict & Mongoven, 2004; Holmberg, Benedict & Hynan, 1998）。

上述文獻提醒每位輔導老師要注意個案重複出現的遊戲主題。在本案例中，阿哲在遊戲治療初期就不斷的出現重複的遊戲主題。

> 阿哲總是不假思索就選擇排列樂高積木做建築物。雖然是玩樂高積木，阿哲在過程中卻會出現「保護」與「安全」的遊戲主題。

我們實在很難斷定這樣的遊戲主題是反映著生活中的哪個事件？但我們可以確定重複出現的遊戲主題和個案的議題是有密切關係的，且個案重複出現遊戲主題的過程，有可能就是在修復他們的

情緒經驗。此時，輔導老師可以做的就是讓個案感受到被瞭解、被接納，然後才可能接觸到個案的內在議題。

在前兩次的遊戲治療過程，輔導老師持續一致的表達善意。輔導老師使用「情緒臉譜」、布偶客體和自由遊戲與阿哲互動。過程中的輔導老師就是跟隨著個案的步調，反映個案的心情；然後讓個案可以選擇與決定自己的自由遊戲內容。

引導個案接觸內在議題

輔導老師到了第三單元遊療時，決定加入「語句完成測驗」的介入，是一個積極的作法，但要提醒各位讀者的是，輔導老師是在前兩個單元以「情緒臉譜」、布偶客體和自由遊戲，與阿哲建立了一個好的關係，且是以一種遊戲趣味的方式進行「語句完成測驗」，其目的就是要收集更多資料並評估個案如何看待自己，以及個案怎樣看自己與媽媽的關係。而這個過程也具有引導個案接觸其內在議題的功能。

「語句完成測驗」的題幹可以由輔導老師根據個案的議題而設計。由於「語句完成測驗」具有接觸個案議題的效果，故在運用「語句完成測驗」時，輔導老師需要觀察個案在做此份測驗時的狀況，是投入或是很抗拒？同時也要避免流於紙筆的書寫，而使得過程過於沈悶，或讓個案有必須完成的壓力。

在本案例中，輔導老師為了讓阿哲輕鬆自在，設計成一問一答的遊戲方式進行。

> 「阿哲，今天前半段的時間，我們要來進行一個接句子的
> 遊戲，我會說前面幾個字，你要馬上接著完成一個句子，愈快

愈好，沒有正確答案，你想到什麼就說出來，我會幫你計算時間喔！」

期間在進行1/4的題項後，輔導老師還對阿哲表達肯定與鼓勵的話語。

「哇！你已經完成一關，接下來要進入第二關。準備好了嗎？」

在這樣的氛圍之下，輔導老師很順利的讓個案完成「語句完成測驗」。在這過程的的確確收集到很多與阿哲目前議題有關的具體資料，如：

「我的媽媽……」，「很恐怖像母老虎。」

「我不能……」，「回到媽媽那裡。」；

「使我痛苦的是……」，「被媽媽打。」

「我最大的恐懼是……」，「要回到媽媽家。」

「小時候……」，「爸爸很疼我。」

「我希望……」，「爸爸還活著。」

從「語句完成測驗」的內容，可以很容易感受到在資料收集的過程，阿哲同時也持續和自己的內在議題接觸。阿哲內在的議題有兩個，一個是害怕媽媽的感受，另一個是對爸爸的懷念。這樣的兩種感受或許和他保護與安全的遊戲主題有關吧！

接觸後的統整與轉換

阿哲感受到輔導老師的接納，也透過「語句完成測驗」的過程，接觸到個人的內在議題。但是，輔導老師引導個案接觸到內在議題之後呢？輔導老師需要協助個案內在議題的統整或轉換。

為能有效協助個案統整或轉換內在議題，在此案例中，輔導老師運用的技巧是將議題中的重要人物「具象化」。

運用繪本故事中的人物、圖卡中的人物、家族人偶、動物玩偶，或是引導個案創作出來的人物……，都能引導個案象徵出議題中的重要人物，就是在做「具象化」的工作，「具象化」之後就有具體的「人物」對象。

在本案例中，輔導老師運用動物玩偶來具象化。引導個案選擇一個代表爸爸及自己的動物作象徵。從選哪種動物就很具象徵性及具象化，然後再透過兩隻動物間的位置、距離、面向，更可看出彼此間的動力與關係；更重要的是當個案擺設好之後，他更可以從一個「距離」看到自己和爸爸間的動力。這都會協助個案進一步的領悟。過程中，再配合輔導老師的情感反應、深層次同理心，都會產生很大的治療效果。

> 「阿哲，這裡有一些動物，我想邀請你選一個動物代表自己，另一個動物代表爸爸。」
>
> 阿哲選擇了一隻狗代表自己，又選了一隻羊代表爸爸。
>
> 「……你可以擺出希望爸爸在哪個位置嗎？」
>
> 阿哲默默的把狗放在羊的上面，不發一語，注視著自己擺放的物件。

「好像你希望爸爸把你背在身上。」我的心裡有點難過，感受到阿哲思念爸爸，渴望被爸爸疼愛卻不可得的失落。

上述的過程與動物玩偶的擺設，就是將阿哲對爸爸的思念「具象化」，具象化的結果，就是讓輔導老師與阿哲都可以看到內在的那股思念。

具象化的過程之後，輔導老師可以進一步透過幾個簡單的技巧，引導個案找出內在的「我能感」；這份「我能感」就是讓個案統整或轉換他內在議題的力量。

在此案例，輔導老師應用了「送禮物」、「拍照」及「鼓勵的話」等三種簡單但很有力量的介入技巧。

輔導老師引導阿哲送一份禮物給爸爸。禮物是一個象徵與隱喻，這份禮物可能是表達一份未說出口的感謝，或是替爸爸做一件事的心願，不管是感謝或心願，這都很能彌補內心的一些遺憾。

「這裡有一張圖畫紙，一些黏土和彩色筆；如果你要送給爸爸一份禮物，你最想做什麼給爸爸？」

第二個就是邀請阿哲將其擺設的動物父子玩偶拍照下來。拍照看似是一個簡單的活動，但卻是將「具象化」效果凝住及保存的功能，這個凝住及保存的功能，可以將此具象化效果一直延續下去。

我們常說「睹物思人」，就是我說的凝住及保存效果，因為邀請個案擺設動物布偶的場景，隨著該遊戲治療單元的結束而必須將玩具歸定位，此場景就不見了。但是，當我們邀請個案將其拍照起來，這個他創作的場景就被保留下來了，日後只要個案再看到此場景的相片，仍然是能發揮具象化的效果。

拍照的另一諮商效果就是可以讓個案感受到「我能感」、「賦權」，因是個案掌控相機，決定拍攝的角度和場景大小，這也象徵著自己有能力留下一個與父親共有的回憶。

「阿哲，你想把你和爸爸在這裡相會的經驗拍下來嗎？」我順手遞給他數位相機，並做出邀請。

阿哲點點頭，小心翼翼的先把代表自己和爸爸的動物，放到要送給爸爸的作品上，仔細調整角度，連續拍了兩張。

第三個則是引導阿哲轉換為爸爸的角色，引導個案去揣測爸爸會告訴阿哲哪些話。在很多體驗取向的諮商學派，如完形治療、心理劇都會運用空椅、輔角等技巧引導個案修通自己的議題，可是這樣的技巧很難運用在兒童個案身上。但是，當我們運用具體的動物物件引導個案具象化、建構出一個場景之後，我們讓個案在不同角色「發聲」、「對話」，其實就具有引導個案修通內在議題的功能。

由於我們的諮商對象是兒童，所以要引導兒童對話時，有時仍需要一些媒材協助。在本案例中，輔導老師將預先準備好都是正向語句的「能量語句」提供阿哲做選擇。

「我相信爸爸也有一些話想對你說。這裡有一些卡片，以你對爸爸的了解，爸爸會說什麼來鼓勵你呢？你可以選三張最像爸爸會說的話。」

阿哲很認真的一張張瀏覽。很快的找出三張「能量語句」——「暴風雨後　會出現彩虹」、「相信自己　沒有事情會難倒我」、「露出微笑　放鬆心情　是給自己最好的禮物」。

在個案選妥三張「能量語句」之後，輔導老師再根據這三張「能量語句」的內容念給阿哲聽，告訴阿哲說爸爸最想鼓勵他的三句話。這樣的過程對阿哲是多麼莫大的鼓勵啊！

輔導老師要記得一定要很有感覺的念給個案聽。若卡片無法送給個案，也一定要將卡片內容轉寫在精美的小卡上交給個案。

上述三個介入不見得會花很多時間，但卻具有很大的效能引導阿哲統整與轉換。在實務上通常是要因應個案的差異而有不同的媒材物件介入。但一個原則就是要先接納、接觸，最後要引導個案統整或轉化。

Part
06

深呼吸、實際的行動

結構式遊戲治療

個案故事

　　小美是六年級的女生，長得瘦瘦小小的。從轉介單內容及導師的描述得知，小美在班上常有身體不舒服的狀況，包括頭昏、胃痛、心悸，與家人關係疏離，在班上不與同學互動，學業成績也表現不佳。

　　晤談時我發現小美常常低著頭不看人，長髮將不是有太多表情變化的臉掩藏著，漠然的表情帶著沉重的情緒，整個人完全沒有朝氣及活力，給我的感覺就像烏雲罩頂，周圍的空氣彷彿都凍結了起來。或許是過去被家暴的經驗，導致小美很難信任身邊的人，因為對周遭的人不信任，她也不想將內心真正的想法表達出來。

　　小美習慣用負向角度思考事情，她曾經說過「我不值得被愛」、「沒有人會真正關心我」、「每個人都一樣，沒有人可以相信」、「說了有用嗎？」等負向的語言。小美似乎有憂鬱傾向的狀況讓我很擔憂，雖然經轉介就醫評估，但她不想繼續看醫生，也沒有服藥進行治療的意願，不過她願意與我繼續諮商。

　　幾次晤談下來，小美依然話很少，口語的諮商方式似乎不能使小美的狀況有明顯的改善，我開始思索如何運用一些表達性諮商媒材，讓她可以經由非語言的表達方式舒緩低落的情緒，並得到能量及滋養。

透過畫作碰觸個案的內心世界

首先，我邀請小美運用圓規進行繪畫，我想透過繪畫的方式讓小美在創作中得到情緒的釋放，同時也可以觀察及反應小美在使用圓規及塗色時的表現。於是我在諮商前準備了圓規、白紙、彩色筆和蠟筆等用具。

「小美，今天老師想邀請妳進行一項比較不一樣的活動。」

原本低著頭、沉默不語的小美緩緩抬起頭來，盯著我看。

「現在，請妳用圓規在這張白紙上畫出一個大大的圓。」我將圓規的半徑調整到大約可以畫出一個將白紙占滿的圓，然後把圓規跟白紙一起拿給小美。

小美看著圓規跟白紙，沒有說半句話，靜靜的在紙上畫出一個圓，動作很流暢。

看著小美開始有了動作，我心裡鬆了一口氣，感覺上是個好的開始。我將圓規從小美手中拿過來。

「接下來，在這個圓內任何有線條的地方都可以當作圓心，妳可以用跟剛剛相同的半徑在這個圓內任意的畫出許多區塊，但不可以超過圓的範圍。妳可以一直畫，畫到妳想停下來為止。」我拿著圓規在小美畫的圓上方略作示範，就將圓規再交還給小美。

小美看著桌面上的圓，慢慢的拿著圓規在紙上畫著，紙上的圓也漸漸劃分成好幾個區塊。小美畫了二分鐘左右，所畫出來的區塊並不多，就將圓規放在桌上，停了下來。

「妳在圓內畫了幾個區塊，接下來，妳可以決定要用彩色筆或蠟筆，將這些區塊塗上妳想要塗的顏色。」

小美看了圓和彩色筆、蠟筆一會兒，拿起蠟筆慢慢的將圓內的區塊塗上紅色、藍色及黑色，但還有一個空白區塊未著色，小美就

停了下來。

「我看到妳塗了紅色、藍色及黑色，還有一個區塊還沒塗上顏色……」我停頓了一下，「妳還想繼續塗嗎？」

小美緩緩的搖頭，不發一語。

「妳覺得這些顏色代表了什麼？」

小美看了一會兒，拿出擺在桌上的筆，將紅色區塊寫上「生氣」。

「所以，紅色是生氣。」

小美接著又將藍色區塊和黑色區塊分別寫上「傷心」和「難過」。

「藍色是傷心、黑色是難過。」我看著不說話及沒有下一步動作的小美，接著問她：「那空白的區塊是什麼？」

小美搖搖頭，寫下「絕望」。

「空白的地方是絕望……。妳還有聯想到什麼嗎？」

小美又搖搖頭，並不想對畫作多做描述。於是，我邀請她為這幅畫作命名。「可以請妳為這幅畫作命名嗎？」

小美看著已經塗上顏色的圓，想了一下，再度緩緩的說：「絕望。」

「那麼，請妳將畫作名稱寫上去。」

小美將「絕望」兩個字寫在左下角。

「這個作品有讓妳聯想到什麼嗎？」我試著引導小美對自己的作品多做一些描述。

「這個就是我啊！一切都令人感到很絕望。」小美看著「絕望」的作品，緩緩的說出我隱隱約約發現到的事實——小美將自己的心情透過畫作表達出來了。

因為不想讓小美一直帶著如此絕望的心情，我將彩色筆和蠟筆推到小美的面前，期待小美可以轉換一下心情及想法。「在這幅畫裡面，可以加些什麼進去，讓它看起來不會那麼絕望嗎？」

小美搖搖頭、不發一語，整個人看起來又跟以往烏雲罩頂般低沉。

看著充滿負向情緒的畫作，我感到很心疼，彷彿是小美的內心世界，以畫作的方式呈現在我眼前。我聯想到小美曾經說過，她對自己及未來都感到悲觀、絕望。看到連繪畫都充滿絕望感的小美，我想著小美到底隱藏著多少憂鬱情緒啊？如果一個人長時間處在這樣的情緒及想法之下，生活要怎麼過下去呢？

「這幅畫妳想帶回去嗎？」我問小美。

小美依舊搖搖頭。

「那麼，老師會先幫妳將這幅畫作收起來，接下來的諮商時間裡，老師也會邀請妳進行一些活動，老師會和妳一起將活動過程拍照或將作品收集起來，妳覺得可以嗎？」

小美緩緩的點點頭。

雖然小美在這次的諮商過程幾乎沒有開口講話，她仍無法有具體的方法走出憂鬱的情緒，感覺起來似乎沒有太多的進展；但透過繪畫，我碰觸到小美的內心世界。我將小美不願帶走的「絕望」畫作收起來，並思考著在接下來的諮商中如何讓小美得到滋養及能量，讓小美對自己、身邊的人及未來不再感到那麼絕望。

當一面鏡子協助抗拒個案發聲

另一次讓我印象深刻的事情是邀請她運用「家庭遊戲卡」編故事的過程。

　　我邀請小美從13張「家庭遊戲卡」中選出一張最有感覺的卡片。「小美，這邊有13張圖卡，每張圖卡的內容都不一樣，請妳從這13張中選出一張最有感覺的圖卡。」

　　小美低著頭仔細的一張一張看。

　　「一定要選一張嗎？」小美微微抬起頭來問。

　　「嗯！對！要請妳選出一張。」

　　約一分鐘左右，小美選了一張「一個小女生獨自盪鞦韆」的圖卡。

　　「嗯！小美，請妳告訴我，這個小女生怎麼一個人在那邊獨自盪鞦韆啊？」

　　「那就是我的故事，我不想講。」小美很敏銳的覺察到這張卡片的內容和她的遭遇是有關的，因此，她拒絕表達。

　　我心想小美妳都願意挑選卡片了，為何不願意分享呢？因為小美知道她會把自己的故事投射在卡片故事中，這不也表示她面對這件事情的苦痛了嘛！我似乎更能多體會到小美一點點的心情了，這是令她痛苦、傷心的事情，小美知道它的存在，但她不願意接觸此事件。多複雜的心理動力啊！

　　在小美表達拒絕描述故事後，我看著頭低低的她，試圖根據轉介資料內容，以及幾次晤談下來感受到的感覺，我開始描述圖卡中小女生的故事。

　　「她知道雖然下課放學了，但『她』很不想回家……」

　　講畢，小美不發一語，眼睛盯著圖卡看。

　　「看著這個女生，覺得她好傷心與難過喔！我想，她也好希望有人能陪著她，跟她玩、跟她講話。」我對著小美說。

「小美，現在我們兩個人來為她想想辦法，讓她可以高興一點、快樂一點。」我仍看著小美。

　　「小美，妳會想要怎麼幫她？」我手指著圖卡中的小女生。

　　在邀請小美為故事主角想辦法的時候，小美帶著沮喪的心情低聲地說：「我自己都解決不了的事，怎麼幫她想辦法呢？」

　　她似乎已經很習慣的陷入一種無力及憂鬱的情緒，她常回應：「反正已經習慣這樣了」、「無所謂了，反正也沒有人會在意」。小美這些根深柢固的想法已難以鬆動，有時也會讓我感到些許的無力。

　　雖然這一次不是很成功的經驗，但當我在描述圖卡的小女生故事過程中，看到小美專注盯著圖卡聆聽我描述，我知道我幫她「發聲」了。

豐富個案的內在

　　小美習慣性的陷入一種無力及憂鬱狀態，要將這種模式改變，可能不是一次遊戲治療或一個活動能做到的，我需要建構一個每單元都進行的正向活動，讓這個活動成為我和小美共同創造出來的儀式。於是，我決定進行「百寶盒」的活動。

　　「小美，這邊有幾個不同形狀的盒子，妳選擇一個妳喜歡的盒子。」我將事先準備好的三個不同形狀的盒子拿出來給小美看。

　　「然後，今天我們要來布置這個盒子，妳看這邊有很多的材料，妳可以用這些材料來布置與裝飾妳的盒子。」

　　小美有點好奇、有點靦腆的開始選了亮片、毛根、小圓球……黏在盒子上。我在旁邊欣賞與反應小美的創作，偶而幫她一點忙。整個過程安靜、緩慢的進行。大概進行了約十分鐘，小美停下了動

作，抬頭看看我。

「妳好像不想再做了……」小美還是看著我。

「在這邊妳可以決定是否要全部做完，妳要繼續進行也可以，妳要下次再繼續做也可以。」

小美把手放了下來。

「老師知道妳想暫時不做了。」小美點點頭。

「好！從這次開始，每次妳來的時候，老師都會把這個盒子拿出來，然後這個盒子可以裝入妳在這邊所做的作品、老師寫給妳的卡片、或是妳自己寫的卡片、創作……，以及妳自己喜歡的任何東西，都可以放入這個盒子。」小美點點頭。

「好！現在老師這邊有一個愛心勳章。」小美看著我事先準備好的勳章。

「妳看！它會閃閃發光喔！」我將開關打開，勳章開始閃閃發亮，小美帶著有點驚訝的神情看著這個勳章。我將勳章拿給小美，小美很好奇的接了過去。

「老師告訴你，這邊有一開關，當妳想讓它閃閃發亮的時候，妳就把開關扳上去，扳下來就可以關掉了。妳試試看。」我鼓勵小美試著去打開開關。

小美試了開和關，我從她的眼神中感受到她的驚奇與開心。

雖然僅是一點小小的驚奇與開心，卻是我第一次看到小美比較正向的心情。

在單元要結束前，我邀請小美為這個百寶盒取名字。

「小美，今天老師看到妳裝飾了這個盒子，還很開心的將愛心勳章放入盒子中。」小美帶著淺淺的微笑看著盒子。

「老師要寫一張卡片送給妳，我要寫『老師今天看到小美裝飾

盒子』……」我稍微停頓了一下。

「小美妳幫這個盒子取名字好了啦！」

在我的肯定與引導下，小美毫不猶豫的答應。

「我想叫它『愛心盒』，因為這邊有一個愛心的勳章，而且我也貼了愛心的貼紙。」小美很快的回應，並且講出她的想法。

此時我內心很高興，因為百寶盒活動的介入，我看到小美開始轉變了，不再那麼習慣性的陷入憂鬱的情緒泥淖。

接下來的每個單元我都會拿出小美的愛心盒，將每個單元結束時寫卡片、她的每個作品，以及她自己帶來的物件、卡片……都放入這個愛心盒。隨著諮商的進行，這個愛心盒內的物件也越來越多，也看到小美越來越充滿能量與正向心情。

被包容接納後，開始勇於接觸自己負向情緒

在百寶盒的活動介入、小美做了自己的愛心盒之後，我再次試著接觸小美的心情。

「小美，今天我們來進行另一個新的遊戲。」我從拿出了「情緒臉譜」。

「這邊有一些臉譜圖卡，我們來看看妳最近的心情如何。請妳將最近常有的心情挑出來。」

很特別的是，以往小美比較容易陷入沉默，這次她雖然沒有說話，但她很快的拿起了「情緒臉譜」，挑出了一堆負向的「情緒臉譜」擺在桌上。

看著小美所挑出來的「情緒臉譜」，讓我感到心疼，如果一個人常揹負著這麼多負向的情緒，不憂鬱都很難。

我想讓小美將負面情緒做些整理，「現在請妳將這些情緒分

類，最常出現的擺在最靠近妳的地方，第二常出現的情緒擺在第二層，較少出現的情緒擺在第三層。」仍然不說話的小美，很快的將眾多的情緒分了三層。

小美動作變快了，也很清楚的將自己的心情分成三個不同的層次。

我看著小美三層的「情緒臉譜」做回應。

「無奈、恐懼、痛苦、丟臉、失望、後悔、擔心、嫉妒，是妳最常有的心情。」

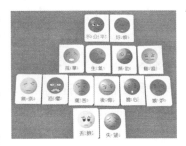

「孤獨、生氣、無助和難過，是妳第二常有的心情。」

「好煩、不公平是妳第三常有的心情。」

一邊反應小美三個層次的心情，感受到自己內心也有很多的起伏與波動。回應的同時，我感受到這些情緒都跟家暴議題、現實的家庭及人際互動有關，小美面對無力改變環境的困境而衍生出來種種複雜的心情。

透過此活動也讓我更瞭解小美的內心世界。我相信小美是有能力可以走出自己的困境，我可以做的就是協助及陪伴她找出自己內在的能量與能力。

接下來我拿出了「能量圖卡」。

「小美，老師現在要請妳從這些卡片中找出來，若要讓第三層的情緒不見的話，加入什麼東西會讓這些情緒不見呢？」我將「能量圖卡」放到小美的面前。

小美拿起了一疊的「能量圖卡」，仔細的尋找物件，看起來似

乎蠻自在的，然後拿出了一張印著「鈔票」的卡片。

「如果有錢的話，這些情緒就會不見了。」小美一邊放下圖卡在第三層情緒一邊描述著。

「喔！有錢就不會煩了，也不會覺得不公平。」我疑惑的回應。「妳可以多說一點嗎？有錢就不會煩、也不會覺得不公平？」

「有錢，媽媽就不會心情不好了！」

「有錢也可以買東西給我了啊！不然我都沒有。」

「對啊！有錢的話媽媽就不會擔心了，也可以做很多事，買很多東西。」

「那麼第二層的情緒，妳可以找出什麼東西讓情緒不見呢？」

小美又很認真的仔細尋找，拿出了一張「翅膀」，擺在第二層情緒旁邊。

「妳拿出了翅膀。」

「嗯，有翅膀的話就可以自由的到想去的地方，不會被限制住。」

「所以妳有時候會希望自己可以自由自在的去想去的地方。」

「對啊！」

「當妳被限制住時，妳會生氣，有時也不想理會別人，所以就很孤單。」

「老師，你怎麼知道啊？」

內心很開心，我好像接觸到小美的內在了。小美也體驗到被瞭解的正向經驗。

「嗯，那麼第一層呢？」

小美將「能量圖卡」又找過一遍，拿出了「愛心」放在第一層的「情緒臉譜」旁邊，但卻把「失望」跟「丟臉」的「情緒臉譜」

又往自己移近了些。

　　「愛心可以把這些情緒變不見。」

　　「喔！妳現在把失望跟丟臉挑出來，更靠近妳了。」

　　「妳可以找出什麼，讓妳的失望跟丟臉也不見呢？」

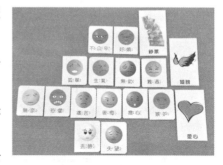

　　小美看起來很沮喪的放下「能量圖卡」，低著頭緩緩地說：「我找不出來。」

　　看著擺在最貼近小美身邊的「失望」跟「丟臉」的「情緒臉譜」，小美又回到了之前面對最深沉情緒的情況，我想起小美曾經命名為「絕望」的畫作，絕望感似乎也在她的臉上堆積著。

行動就是改變的見證

　　從表面上來看，小美似乎像是過去般習慣性的陷入負面情緒泥淖，但我知道我也相信經過前述的活動以及愛心盒，小美蓄積了不少能量，我可以勇敢的做一些嘗試，引導小美做一些有別於過去的「行動」。

　　「沒關係，小美妳看，現在老師手中有另一疊的卡片。」我拿出「行動語句」卡片放在小美的前面。

　　「好，現在請妳從這一疊卡片中，抽出一張卡片，卡片會帶著妳處理『失望』和『丟臉』喔！」

　　小美緩緩的抬起頭來，從我手中的「行動語句」抽出了一張卡片，卡片上寫著「**一起做個深呼吸吧！**」

　　小美的「選擇」印證了我的相信，她再次做了一個選擇的行

動，而且也選擇了一個「行動」，於是我決定邀請小美一起行動。

「來，我們一起來做深呼吸，吸氣、吐氣、吸氣、吐氣……」

小美慢慢的跟著我，做了幾次的深呼吸，雖然吸氣、吐氣看起來有點淺，但小美似乎顯得輕鬆了些。

我驚訝於小美的轉變，也讓我更相信這一個小小的行動再次喚起小美的內在能量。於是我在小美做完深呼吸的活動之後，拿出「能量語句」，而且添加了一點趣味與神祕的氛圍。

「小美，你很認真的做了好幾個深呼吸的動作，我覺得妳比剛才更有力量了。」小美笑笑的看著我。

「接下來我們要進行一個很有趣且很神祕的活動，如果要將『失望』和『丟臉』趕走的話，妳可以很誠心的將手放在這些卡片（『能量語句』）上，它會給妳一些指引，告訴妳該怎麼把『失望』和『丟臉』趕走，試試看。」我將「能量語句」拿給小美，只見小美把手放在「能量語句」上，輕輕的閉上了眼睛。

「好！我看到妳很誠心的將雙手放在卡片上。」

「現在請妳默默的祈禱，祈禱可以給妳一個指引，指引妳能夠把內心的失望與丟臉的不舒服感覺趕走。」

小美緊閉雙眼，輕動著嘴唇，小美正在誠心的祈禱。

「好！如果妳祈禱完了，妳就可以張開眼睛，然後從這疊卡片中抽一張卡片出來。」

小美張開眼睛後，從「能量語句」中抽出了另一張卡片。卡片上寫著「**實際的行動　比較有幫助**」

小美帶著驚訝的神情看著我說：「我們再做一次深呼吸。」

我想小美自己將「深呼吸」的行動與「**實際的行動　比較有幫助**」做了連結。我很開心小美自己做了這樣的連結，而且我相信，

不管是抽到哪張卡片，小美都會自己去做連結的。

我就把小美的連結見證下來吧！

「嗯，實際的行動，比較有幫助。」我複誦著卡片上的文字，拿出另一張空白的卡片。「現在，妳可以把這句話寫下來。」

小美拿著彩色筆，靜靜的將這句話寫在小卡片上。

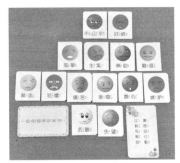

「妳可以將這張卡片帶回家，在感到『失望』和『丟臉』的時候，實際的行動可以幫助妳趕走『失望』和『丟臉』喔！」

小美看著小卡片若有所思的樣子，淡淡的吐了一口氣。

小美把卡片放入她的愛心盒中，也結束這次的遊戲單元，看著她踩著輕盈的步伐離開，我相信她會走出自己的情緒泥淖。我回到座位上，寫下今天的感想。

要鬆動憂鬱個案習慣性的負面情緒，確實不是一件容易的事；哪個介入會觸碰到個案最深沉的部分，也很難確定。但是，透過不同的媒材，讓個案有不同的覺察及行動，也可以讓諮商過程變得更多樣性、活潑與趣味性，我想這對憂鬱的個案而言是重要的。

原本就沉默的小美，透過「家庭遊戲卡」、「情緒臉譜」、「能量圖卡」、「能量語句」、「行動語句」等媒材的協助，不用太多的言語，卻可以具體的發現小美內在的一些需求及變化，諮商過程中也顯得輕鬆與有趣。

後來，小美與導師安排的小天使開始有了一些小互動，雖然還是話不多，但偶爾會從她的臉上看到一抹淡淡的微笑。我想，小美已經知道不要再去想太多，深呼吸、實際的行動，會比較有幫助。

案例實務分析與探討

諮商是一個過程

　　過程中有時需要等待、有時是開始朝著進步的路走，因此在諮商初期經常不容易馬上看到令人滿意的成效。

　　在本案例中的輔導老師運用「家庭遊戲卡」引導小美分享心中的感受，是一個很好的介入方式，但小美最後的反應是「反正已經習慣這樣了」、「無所謂了，反正也沒有人會在意」，而這也正反映出小美的狀態。

　　「反正已經習慣這樣了」、「無所謂了，反正也沒有人會在意」這過程的確容易讓輔導老師有無力感。但在此要很懇切的跟有此種經驗的輔導老師回饋，當你因個案的回應感受到無力、無奈，甚至生氣時，請你也像本案例輔導老師一樣，試著站到小美的位置，體會一下小美的心情。「反正已經習慣這樣了」、「無所謂了，反正也沒有人會在意」這種習得無助感豈只是一次挫敗所造成的。我想當你有這樣的感受時，你可以更輕鬆自在的等待。

幫能量低的個案「發聲」是一個賦權個案的做法

　　面對憂鬱傾向、能量極低或抗拒接觸內在情感的個案，會發現他們經常是什麼事情都不想做、不想說，有時連「玩」、「遊戲」也都提不起勁。

　　此時怎麼辦呢？我想幫個案「發聲」是一個可行的方法。在此案例，輔導老師應用小美選的圖卡做「發聲」。

　　「她知道雖然下課放學了，但『她』很不想回家……」

　　「看著這個女生，覺得她好傷心與難過喔！我想，她也好希望有人能陪著她，跟她玩、跟她講話。」

　　「發聲」過程其實是一個極深的同理過程，當輔導老師對個案的瞭解更多、更深，「發聲」的內容就更具有療效。

　　輔導老師運用「發聲」技巧介入時，要注意幾件事情：

　　1.「發聲」內容要建立在輔導老師對個案瞭解程度的基礎上，也就是說，輔導老師對個案瞭解的程度愈多，發聲的內容就可以更多。

　　2.應用「疏」的機制（鄭如安，2012）進行「發聲」。也就是說，以圖卡中的人物為主角，我們是在反映圖卡中那位小女生的心情，並非直接在講個案，這樣比較不會給個案太大、太直接的壓力。

　　3.善用較具揣測與彈性的語句，如「我覺得……」、「我猜……」、「看他緊緊的閉著嘴，好像……」。因為幫個案「發聲」的過程仍是一個揣測的過程，且反映的內容有很多都是較負向的情緒感受，因此太直接且肯定的描述內容，有時反而會給個案壓力而導致其抗拒、逃避或否認。

　　4.以一種輕鬆自在的心情與態度「發聲」，也不要擔心講錯。初次運用此技巧的輔導老師常會擔心講述內容的尺度，也會擔心講的不是個案的感受，因此會有壓力與擔心。其實輔導老師只要是在上述的三個原則之下進行「發聲」，就不必要擔心太多，可以放鬆

心情來進行。因為我們本來就不可能完全百分之百的講對所有內容，但我們的「發聲」是建立對個案的瞭解上，因此一定會有些內容正確的反映到個案的狀態，配合真誠的態度及彈性的語句，都會讓個案驚訝於輔導老師對個案的瞭解以及關心。

情緒是一個複雜的機制

從本案例中，小美選擇的「情緒臉譜」及呈現的三層情緒過程，可以得知情緒真的是一個很複雜的機制。本例輔導老師運用圖卡與個案的距離，生動的引導小美將複雜的情緒機制，釐出遠與近的動力關係，真的是非常巧妙。

從小美同一層次的「情緒臉譜」圖卡內容，也讓我們看到這些情緒間的關連。

一個人要能清楚描述心中的複雜情緒是有困難的，本案例中應用多張的「情緒臉譜」，才能讓輔導老師一窺小美第一層最常出現的情緒，包括：無奈、恐懼、痛苦、丟臉、失望、後悔、擔心、嫉妒；當輔導老師看到小美這幾個伴隨在一起的情緒，相信對小美將有更深一層的認識。是什麼核心的事件讓個案在無奈、恐懼、痛苦、後悔、擔心、嫉妒的同時，伴隨著丟臉與失望呢？接下來的孤獨、生氣、無助和難過，以及好煩、不公平等情緒，想必都是有一個或一個以上的事件困擾著小美。

在此也提供另一個「情緒三角」的概念供大家思考，亦即在每個情緒的更深層常隱藏著另一種情緒，好比憤怒的背後常是有著很深的悲哀或擔心。例如：一個擔心孩子晚歸的媽媽，在充滿擔心及焦慮的心情不斷的尋找、聯絡孩子行蹤之際，若此時孩子平安的出現在媽媽面前，媽媽可能是很憤怒的責罵孩子跑到哪裡去了？相

信大家不難理解此時媽媽憤怒情緒的背後，其實是一種很深的擔心。因此，在得知小美各層的不同情緒時，輔導老師除了可以了解是哪些事件引起小美的不同情緒之外，也值得探討這些不同情緒是否由同一事件所引起的不同深處的情緒。例如，小美第二常有情緒的孤獨、生氣、無助和難過，可能是同一事件所引起的。

■ 沒有自主會讓人陷入一種很深的無助與孤獨

遊戲治療的一個核心精神是在適切的界限之內，容許個案完全的自由與充分的權力作決定。當個案能有充分的自由與做決定時，他的「我能感」與自尊就會提升；反之，他就容易陷入一種無助與孤獨。

本案例中的小美在面對常有情緒的過程中，她選擇「翅膀」來解決此議題，「翅膀」就象徵著自由與決定。

> 小美描述：「嗯，有翅膀的話就可以自由的到想去的地方，不會被限制住。」

在我們的文化中，兒童本來就是比較被要求順從及聽話，但過度的被要求聽話與順從其實就是沒有自主。潛伏期階段的兒童被要求「聽話」、「順從」時，或許不會有太大的親子衝突，但若用同樣的「聽話」與「順從」要求青春前期的兒童或青春期的青少年時，可能就會產生嚴重的親子衝突。本案例中的小美正值小學六年級，也說明了輔導老師可能要將個案發展的因素考慮進去，同時瞭解讓個案充分的自由與做決定是相當重要的。

面對有無助與孤獨感的個案，輔導老師最適切的處遇之一就是專注的「陪伴」，且在陪伴過程充分的讓個案感受到自主權。但在

此要特別提醒輔導老師瞭解一個很有趣的互動動力的轉變，就是在讓個案充分享有這份自主權的時候，輔導老師必須瞭解這類個案常會將這份自主權用來拒絕、抗拒輔導老師的邀請或介入。此時輔導老師最適當的處理方法是就是接受個案的拒絕或抗拒。在本案例中，小美拒絕描述圖卡故事之際，輔導老師沒有強迫小美描述就是一個最佳的處理。

行動帶給個案力量與改變的見證

行動與實踐就是一種能量的展現。

這邊的行動與實踐其實是一種象徵。尤其當個案陷入一種什麼事都不想做的狀態時，輔導老師引導個案做些實際的活動是有可能改善個案的狀態。當輔導老師要以此種方式介入時，要記得所規劃的「行動」內容要簡單、具體且馬上可以執行。例如此案例的小美抽出來的行動卡片是「**一起做個深呼吸吧！**」

因此輔導老師邀請小美一起行動。

> 「來，我們一起來做深呼吸，吸氣、吐氣、吸氣、吐氣……」
>
> 小美慢慢的跟著我，做了幾次的深呼吸，雖然吸氣、吐氣看起來有點淺，但小美似乎顯得輕鬆了些。

這樣一個簡單具體的行動，雖然不能立即看到個案明顯的進步與轉變，但輔導老師真誠投入與邀請，引導個案也「行動」時，他就不再那麼沒有能量了。

「行動」是可以帶出能量的，尤其面對情緒狀態、能量狀態很低的個案。另外，輔導老師也可以很規律的將行動建構成一個儀

式，亦即輔導老師可以建構一個每單元都進行的正向活動，讓這個活動成為輔導老師和個案共同創造出來的儀式。

在此案例中，我很佩服輔導老師的介入是非常的完整且細膩，從引導個案情緒的接觸與覺察，也讓個案能充分的表達與行動，最後再配合「愛心盒」貫穿在整個諮商過程，在在都使得整個諮商過程更加的完整。這也符合我一直強調的接觸、覺察、表達、行動到統整的一個過程。「情緒臉譜」與「家庭遊戲卡」的運用，都協助小美接觸與覺察自己的情緒，同時也運用「發聲」及選「能量圖卡」的介入，讓小美能充分的表達與行動。

在此特別欣賞本案例輔導老師運用一個「百寶箱」（愛心盒）的正向活動，創造出一個儀式，這個儀式也成為一個很好的統整。因為做出來的「百寶盒」由小美命名為「愛心盒」，這個命名過程就將這個盒子與小美做了連結，然後每次諮商後，小美的作品會被放入此「愛心盒」，搭配輔導老師給的回饋卡片，以及小美自己喜愛的卡片、書籤等，都使得這個「愛心盒」象徵了小美，且都是正向的象徵。更重要的是，在進行結案時，輔導老師可以運用此「愛心盒」內的所有物件，依時間順序和小美一起回顧整個諮商歷程，所以，這個「愛心盒」就是一個協助輔導老師與小美進行統整的過程。

有愛無礙

個案故事

　　從導師描述中得知，阿銘在課堂上的行為嚴重影響班上的教學，例如：阿銘舉手，就一定要老師點他發言，否則就會出聲吵鬧，無論上下課都很容易和同學發生口角衝突，進而以激烈的打架來「爭輸贏」。導師曾向家長反映多次，也建議家長可以帶阿銘到醫療機構做專業的鑑定，但是家長擔心導師對阿銘貼標籤，遲遲不配合帶阿銘去鑑定，親師之間的關係越來越緊繃……。

　　我想阿銘可能是個活潑好動、情緒變化快、容易激動生氣的高年級男孩吧？不知道他會不會欣然接受我——一位從未見過面的輔導老師——對他的關心呢？我以遊戲治療介入能不能對阿銘有所助益呢？不知道家長對於阿銘接受輔導所持的態度如何？一個又一個的問號在我心中浮現……。

啟程

　　初次和阿銘見面，是透過阿銘導師的介紹。人高馬大的阿銘，靜靜的站在他的導師旁邊，有些緊張、不知所措的樣子。當導師介紹我是「輔導老師」時，阿銘眨了眨明亮的眼睛，顯出很感興趣的樣子。

　　「是阿！我是＊＊老師，以後我就是陪伴你的輔導老師喔！」或許是我真誠的微笑感染了阿銘，他也回應給我一個愉快的微笑。這一瞬間，有股暖流在我們的眼神中交會。

在我們走往遊戲室的路上，阿銘的話匣子開了。

「老師，妳剛剛說的遊戲室我知道喔！」

「喔！阿銘知道遊戲室啊！你去過嗎？」

「沒有，可是我有一個隔壁班的同學他就是掃遊戲室的。他說裡面有很多玩具喔！」

「是阿！裡面有很多玩具，你可以在裡面玩玩具，我會陪著你。」

「真的嗎？」

離開了導師的視線，阿銘表現出輕鬆、自在的原貌，愉快的跟我交談著。「是個健談、不怕生的孩子呢！」我這樣想著。阿銘大方、樂於接納我的態度，除了帶給我「好的開始是成功的一半」的鼓勵外，也讓我發現他是有潛力可以和他人建立良好的關係的。

進到遊戲室中，「哇！超多玩具的！」阿銘很新奇的東摸摸、西碰碰。

我語帶鼓勵的說：「你可以選擇你想玩的，我會在這裡陪你。」

阿銘在玩具中翻翻找找，最後選定了遊戲盤，他要我也加入遊戲，所以我們就開始「玩」起來了。第一次與阿銘在遊戲室中的經驗，是很自在、愉快的！離開遊戲室時阿銘看起來很快樂，他說：「老師，下個禮拜四我會自己來！我不會忘記的！」

一路相伴的朋友

在我和阿銘的第一次遊戲時間裡，我帶了一位特別的朋友來。當我把「它」介紹給阿銘時，他開心的問：「這是要給我的嗎？」

「你好喜歡『它』喔！想要老師把它送給你。我看到你在轉動

它的手、它的腳……。」

「妳看！它可以坐著。」

「它是我們的新朋友喔！每次我們在遊戲室見面，它都會陪著我們。你可以幫它取名字。」

「那我要叫它……『阿呆』！」

「那他的名字就叫做『阿呆』！阿呆你好！我是＊＊老師！阿呆你也跟阿銘打個招呼好嗎？」然後我們時而由我扮演阿呆、時而由阿銘替阿呆「發聲」，我們「三人」玩得不亦樂乎。

看著阿銘對阿呆愛不釋手的模樣，我覺得自己很幸運的挑到了一個阿銘喜歡的布偶。我希望這隻像陽光般的亮黃色泰迪小熊能在往後的日子中幫助我，幫助我走進阿銘的內心，幫助我扶持阿銘走往生命中更美好的方向，也幫助阿銘記錄在遊戲時間中，我們相處的點點滴滴。留待我們遊戲時間結束的那一刻，阿呆將會代替我，不論阿銘在哪個時空，只要他再看到阿呆、再觸摸到阿呆柔順的絨毛，阿銘將會想起我對他的關心和支持，就像我在他身邊一樣。

接納與信賴

▪ 主題畫

每當到了我們的遊戲時間，我和阿呆會關心阿銘「今天好嗎？」、「這禮拜有沒有發生什麼特別的事？想和我們分享嗎？」而阿銘也會一邊玩著阿呆、一邊分享他在家裡或是學校的生活。幾次的接觸下來，阿銘在遊戲室中常是愉快又樂於分享生活故事，我感覺我們的關係漸入佳境。

在進行到第四次的遊戲時間時，阿銘很高興的來到遊戲室，一如往常的和阿呆打招呼，把阿呆放在遊戲室的桌子上。他探索一下

遊戲室之後，找出了蠟筆，問我：「老師，妳有圖畫紙嗎？我今天想畫圖。」

「喔！阿銘今天要畫圖，所以，問我有沒有圖畫紙？」我一邊回應，一邊拿出圖畫紙給阿銘。

「嗯……畫什麼好呢？老師，妳出個題目好了！」阿銘興奮的擺好紙筆，還沒想到要畫什麼主題的他有些猶豫。

「要畫圖了，你看起來好開心喔！在這裡你可以自己做決定，決定要畫什麼喔！」我用鼓勵的口吻回應他。

「是喔……可是……我，我想不到要畫什麼啦！」阿銘想了一下，他皺著眉頭，手裡扭著蠟筆，一副苦惱的樣子。

「你想畫畫，卻煩惱不知道要畫什麼。你希望我可以幫助你。」

「對啊！」阿銘有些無奈的回應我。我心想，是想不出題目讓阿銘感到焦慮？還是他沒把握畫得好，擔心被評價而感到焦慮？

「上個禮拜你跟我介紹過你的家人，那我們來畫『全家人一起做的一件事』好嗎？」我感覺到阿銘原本的創作動力在設想題目的時候被削弱了強度，我希望他不要放棄畫畫的念頭，也想藉此機會更了解在阿銘的眼中是如何看待家人間的相處，所以我提議了這個題目。

「好呀！這不會很難嘛……」除去了阻攔靈感的水壩，阿銘畫筆上的色彩快速的流洩在畫紙上。他很專注的畫，我很專注的陪著他。即使在我們之間沒有言語，但是透過阿銘作畫的動作，使用的顏色和勾勒的線條，都是他在向我訴說自己的故事。

「畫好了！」阿銘打破了寧靜，抬起頭來對著我說。我用著欣賞，甚至是讚嘆的眼光仔細的看著阿銘的作品，並且刻意的對著阿

呆說：「哇！阿呆你看，阿銘的圖畫中人物的頭髮畫得很仔細，每個人的衣服都有變化，還有青綠色的山，上面的線條好像青草喔！」

「真的耶！我也發現阿銘哥哥剛剛在畫畫的時候，很認真、很投入喔！他在挑選顏色的時候很有自己的想法，他對自己很有信心喔！」我以阿呆的角色及口吻對著阿銘說。

阿銘聽著我和阿呆的對話，帶著有點害羞、又有些藏不住的得意微笑看著我們。我將眼睛所看到的畫面，一一的述說出來，透過阿呆的見證，我希望讓阿銘感受到，剛剛怕畫不好的擔心是不必要的。創作的過程本身就極有價值，一筆一畫、每分每秒，都存在著阿銘獨特的創意，而我都能感受得到。

「老師！這就是我們全家人『一起到阿里山看日出』。」

「然後呢？」

「就是啊……」在我和阿呆充滿興趣、頻頻點頭的聆聽中，阿銘興高采烈的述說起印象中家人一起出遊的經過，那時的記憶像被施了魔法一樣的恢復了生命力，歡樂的氣氛就像圖畫中的色彩一樣鮮明。

在聆聽阿銘描述的過程中，我發現阿銘不但很享受與家人相處的時光，也很珍惜親情。父母彼此相處融洽，以及對阿銘關愛也有助於他發展正向的自我概念。我感覺阿銘是個幸福也知福的孩子，本性是很善良可愛的，而他表現在班上的脫序行為，背後的原因可能是因為他還沒學到適當的因應技巧。在感受到阿銘有自我療癒的潛能之後，我對於未來協助阿銘的效果更加有信心了。

- **自由畫**

　　或許是前一次成功的繪畫經驗鼓舞了阿銘，在我們第五次的遊

戲時間裡，阿銘主動表示他還想要畫圖，而且呢，他也想到要畫什麼了！

　　這次的自由繪畫中，阿銘不改他鮮明色彩的畫風，他創作了一隻令人覺得「又可怕、又可愛」的「壞壞龍」，旁邊的這個小男孩可是壞壞龍的寵物呢！在我專注的陪伴和對畫非常感興趣的提問之下，阿銘似乎受到很大的肯定與鼓勵，他將壞壞龍和他的寵物在森林中探險的英雄事蹟說得栩栩如生、非常的精采。

　　這一次的自由繪畫中，我感受到阿銘在決定畫圖、定題材，以及敘說故事的過程中，他對自己更有自信了！而且他在創作中所表現出的專心，以及情緒的穩定，不就是阿銘的導師希望看到的嗎？發現越來越多阿銘正向的特質，讓我既喜悅、又充滿希望。

「家庭遊戲卡」的介入

　　在每週一次的相處時間中，我陸陸續續的採用了一些媒材來協助阿銘安全的、自由的探索，像是彩色黏土、折星星、繪本《生氣蛙》（小星星，2008）、「探索心遊戲盤」、「情緒臉譜」等，從阿銘透過不同媒材的表達中，我漸漸的發覺到他日漸穩定的行為舉止，以及越來越正向的想法。

　　在進行晤談的第十次，我使用「家庭遊戲卡」來做為活動的媒材。

　　我故作神祕的說：「阿銘，老師今天準備了一些有趣的圖卡，想要邀請你發揮想像力來『看圖說故事』喔！你想要……用抽的，還是你自己挑？」

　　「喔！我要用抽的！」阿銘興致勃勃的挑了一張，翻開正面。

　　「嗯……這張圖卡，讓你想到什麼故事呢？」

　　阿銘抽的第一張圖卡，他說了一個有關小女生考試考得很差，不敢回家、怕被父母責罵的故事。

　　「她和家人的心情是怎麼樣呢？能不能幫他們擺上情緒臉譜？」

　　阿銘給了主角「痛苦的」臉、爸爸和媽媽都是「擔心的」臉、特別的是，家裡的小狗有張「害怕的」臉。巧的是阿銘家裡也有隻養了快兩年的哈士奇。

　　「嗯……，原來他們的心情是這樣的啊！那這裡有一些『能量圖卡』，你可不可以幫他們挑一些東西，讓這個情況能有所改變呢？」

　　阿銘很仔細的瀏覽了所有的「能量圖卡」後，挑了一些卡擺在主角的周圍，並且說明這些東西的功用為何。

　　「哇！我看到阿銘很認真的為故事裡的角色們挑出了有用的『能量圖卡』！相信這些東西可以帶給這個小朋友勇氣，可以改變這個情況。」

　　阿銘點點頭，很篤定的說：「對啊！她就會變得很勇敢了！」

　　「真棒！現在讓我們閉上眼睛……桌上的卡片已經發生了神祕的奇蹟喔！現在『能量圖卡』已經發揮功用了！事情發生了變化，你想是發生了什麼事？他們的心情變成怎麼樣呢？」

　　「嗯……，這個小朋友跟佛祖禱告、跟許願水晶球許願，希望自己的功課能進步、希望爸爸媽媽不要生她的氣。」阿銘想了一下，接著說：「然後呢，小天使就用魔法棒變出了時光機來，小朋

友就回到還沒考試之前，小朋友的爸媽用愛心陪著她、教她功課，她的老師和同學也用愛心陪著她、鼓勵她，她就很努力用功，結果就考100分！」阿銘笑得很開心。

「哇！真的好棒喔！她擔心的事情不見了，而且爸爸媽媽和老師同學都對她很好、她的功課也進步很多喔！那現在，他們的表情會變成怎樣呢？」

阿銘幫各個角色都換了臉譜，主角和爸爸是「滿足的」臉，媽媽和小狗是「快樂的」臉，阿銘自己的臉上則是掛著輕鬆愉快的表情。

結束了第一個故事後，阿銘表示第二次他想要自己挑圖卡來說故事。

在瀏覽過所有的圖卡後，阿銘接著講了「爸媽因為小孩不乖、考得不好，所以吵架了，小孩很害怕的躲在門後偷看」、以及「同學們不喜歡小男孩，小男孩被誤會了，他很擔心沒有人跟他做朋友」的故事。

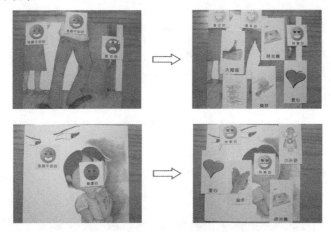

重複出現的議題

從阿銘描述的故事，對照到他的日常生活中，可以看出阿銘最在意的是學校課業的表現與朋友的相處。事實上，阿銘的學業成績是很優秀的，但是他仍會提醒自己要繼續保持；而阿銘在班上也有兩個死黨，他說他們是「最佳三人組」，常常一起打球、買雞蛋冰來吃。根據我的判斷，這兩個議題雖是阿銘在意的，但是並沒有造成他的困擾，所以在議題方面就沒有再深談下去。

重複出現的「能量圖卡」

在三個故事中，我幾乎都是按照第一個故事案例中的句型發問，引導著阿銘覺察到情緒、自由選擇「能量圖卡」的行動，以及最後整合正向的情緒、給予故事一個不一樣的結局。特別的是我觀察到有兩張「能量圖卡」在三個故事中都有出現、並且扮演著關鍵的角色，就是「時光機」與「愛心」。

「阿銘，我發現你在三個故事裡都有用到一樣的『能量圖卡』喔！你還記得是哪幾張嗎？」

阿銘懷疑的想了一想，「有嗎？是什麼阿？」

「就是『時光機』和『愛心』啊！」

阿銘驚喜的說：「對耶！我都有拿這兩張！」

阿銘從「能量圖卡」中再找出這兩張把玩著。

「而且啊，當我問你說『事情怎麼會發生改變』的時候，你都會說『就用時光機回到事情發生以前，然後用愛心來化解』。我發現你跟以前不太一樣喔，以前發生了衝突、不開心的事情，你都會說……」我停頓，看著阿銘，眼神示意他自己接下去。

阿銘有點尷尬的說：「我會說『來打架阿！怕你喔！』」，講

完自己又笑了。

我也是笑著說：「對啊！但是那是以前的你了！現在阿銘很有智慧，遇到事情時會停下來想一想，會先用愛心化解誤會，或是用愛心體諒別人，這樣就不會有生氣到想要打架的情況發生了！你用了好方法來表現自己的感覺，真的進步很多喔！」

阿銘被讚美、有點害羞的微笑。

適當運用圖卡媒材

這次使用「家庭遊戲卡」作為媒材，意外的引發出了阿銘對自己的感受和期望。他表示自己常常和老師、同學起衝突，都是因為太衝動了！但是拿著「愛心」和「時光機器」這兩張圖卡的阿銘，若有所思的安靜了一會兒，我面帶微笑、用鼓勵的眼神陪伴著他停在此刻有所領悟的感覺中深深體驗，更陪著他深入的走到自己的內心中。

結束前，阿銘想要阿呆抽「能量圖卡」送給他，阿呆也欣然答應囉！我藉著阿呆的胖胖小手，抽了一張「**相信自己　沒有事情會難倒我**」送給阿銘，而阿銘又自己抽到了「**每一天都是美好的一天**」。阿銘帶著自己的領悟以及我和阿呆對他的祝福，像是春天的風一樣的離開了遊戲室。

我所認識的阿銘

在這些日子的相處中，我所認識的阿銘，是信任別人、開朗活潑的大男生。有時候他的情緒會稍微激動，但不會影響他畫畫時的專注、不會影響他的歡笑聲，也不會影響到他生命自發性的成長。他曾經覺得「打架」是又快又好的解決問題的方式，但他現在心中

有「時光機」和「愛心」，提醒著他自己在面對衝突時，有比「動手」更好的解決方法。

在結案後，他帶著好朋友來介紹給我，有一次說要請我吃雞蛋冰，但當時我在感冒咳嗽，所以只能謝謝他的好意了！有好幾次，他還會到我教室窗邊跟我聊聊好玩的事。我們一直到現在都是互相關懷的朋友，我很謝謝他願意接納我、願意分享他的生命故事給我。他讓我學到，心中有愛，一切無礙！

案例實務分析與探討

輔導初始——為自己找「位置」

美國家族治療大師Virginia Satir（引自吳就君譯，1993）曾寫了一首小詩，道出了以人為本位，以人為關懷的「接觸」（contact）。

> 我希望能夠愛你，卻不會緊抓著你
>
> 欣賞你，不帶批判
>
> 參與你，而沒有任何侵犯
>
> 邀請你，卻無絲毫勉強
>
> 指正你，而不含責備
>
> 還有能幫助你，卻不帶冒犯
>
> 如果，你也能如此待我
>
> 那麼，我們便能真實相待
>
> 並豐潤彼此的生命

在看了個案的主述問題資料，尚未接觸其本人或案家之前，輔導老師已經開始醞釀這段未知的輔導關係。從一連串的自我覺察與省思中，試圖為自己的輔導角色找位置——Join you without invading，而這樣的省思對於輔導效果常有著舉足輕重的影響力。

當輔導老師愈能與自己或他人（例如：個案、案家，甚至是個案導師）有完整、充實的接觸，就愈能感受到愛與價值感，並且更能知道如何掌握輔導的方向。

本案例的輔導老師在正式與個案接觸前，內心就有了這段為自己找位置的心路歷程，我想這是很重要的一項功課。

> 從導師描述中得知，阿銘在課堂上的行為……不知道他會不會欣然接受我──一位從未見過面的輔導老師──對他的關心呢？我以遊戲治療介入能不能對阿銘有所助益呢？不知道家長對於阿銘接受輔導所持的態度如何？

有（having）專業知識，也是（being）專業知識

我常形容以個案為中心的諮商過程，就是引導個案「回家」的過程，如同Irvin D. Yalom（易之新譯，2002）所言，引導個案回到他心靈上的家。而這個回家的過程，是要引導個案與自己做真實的接觸。

但很多個案都不願意與自己的內在自我接觸。我想，人之所以不願意與自己真正的內在自我接觸，多數是因為自己覺得自己不夠好，因為在他們平日的生活經驗中，可能收到的都是負向的回應，就好像《你很特別》繪本中的「灰點點」。

我們不是要輔導老師根據個案的行表現來給他「灰點點」或「亮晶晶」的評價，而是要輔導老師以真誠的態度與案主做真實的接觸。

> 或許是我真誠的微笑感染了阿銘，他也回應給我一個愉快的微笑。這一瞬間，有股暖流在我們的眼神中交會。

離開了導師的視線，阿銘表現出輕鬆、自在的原貌，愉快的跟我交談著。

上述過程中，輔導老師不是讚美個案，卻是真誠的接納個案。知道嗎，我們要做到的是「真誠的微笑」。這發自內心的「真誠的微笑」才是真正的接納，輔導老師除了要具備專業知識之外，更要能體會到「輔導老師本身也就是專業知識、專業工具」，輔導老師善用真誠一致的自己，就是建立輔導關係最重要的輔導工具。

善用遊戲中的第三者——客體布偶

在本書中的許多案例都有提到「布偶客體」的運用，我想這是一個很值得推廣的技巧。本案例的輔導老師在第一次見面時，也帶了一位新朋友（布偶）介紹給個案認識，並請個案為它命名。從此之後，這個布偶便與個案有了接觸。

在接下來的輔導歷程中，布偶透過輔導老師的巧妙運用，發揮了參與者、邀請者、欣賞者、指正者、助人者，以及見證者等角色功能。

小熊布偶成了遊戲治療過程中一起陪著個案的參與者，同時也擔任邀請者的角色，邀請個案分享生活點滴。

每當到了我們的遊戲時間，我和阿呆會關心阿銘「今天好嗎？」、「這禮拜有沒有發生什麼特別的事？想和我們分享嗎？」

輔導老師與小熊布偶一起欣賞個案的創作，儼然成為一個懂得個案優點的欣賞者。

……我用著欣賞，甚至是讚嘆的眼光仔細的看著阿銘的作

品，並且刻意的對著阿呆說：「哇！阿呆你看，阿銘的圖畫中人物的頭髮畫得很仔細，每個人的衣服都有變化，還有青綠色的山，上面的線條好像青草喔！」

輔導老師賦予小熊布偶主動表達與見證的角色，由小熊布偶發聲來為個案見證。

「真的耶！我也發現阿銘哥哥剛剛在畫畫的時候，很認真、很投入喔！他在挑選顏色的時候很有自己的想法，他對自己很有信心喔！」我以阿呆的角色及口吻對著阿銘說。

阿銘聽著我和阿呆的對話，帶著有點害羞、又有些藏不住的得意微笑看著我們。

表達性媒材之一：「畫」中有「話」

對於學齡或學齡前的個案而言，礙於有限的詞彙與表達能力，可能難以直接口頭陳述其個人觀點，尤其是對於一些身心受創的個案，更是有難言之隱。但輔導老師一定要堅持讓個案「說話」嗎？其實不然。除了口語的表達，諸如繪畫、戲劇、剪貼等表達性藝術創作，亦可投射出個案的生活經驗與主觀世界。從這些創作中，輔導老師可發掘個案的獨特性，了解環境因子（家人、同儕等）的影響力，進而加強對個案問題概念化。

在本案例中，個案在第四次與第五次的遊戲時間中自行選擇了繪畫物件，可見輔導關係更為安全與信任了，輔導老師便順勢推舟引導案主進行主題畫──家庭動力畫與自由畫。

「上個禮拜你跟我介紹過你的家人，那我們來畫『全家人一起做的一件事』好嗎？」

　　即使在我們之間沒有言語，但是透過阿銘作畫的動作，使用的顏色和勾勒的線條，都是他在向我訴說自己的故事。

　　當輔導老師在運用表達性媒材時，一定要有一個觀念就是，個案的整個創作過程就是「表達」的過程，他畫家人的順序、彼此間的位置、顏色的異同、人物的大小……，都是輔導老師要注意收集的訊息。

　　當個案創作完畢之後，還是可以邀請個案針對其作品容做描述，因當個案有了一個比較具體的作品時，他變得更容易表達與描述。而本案例的輔導老師在邀請個案描述其作品時，做了一個很好的引導。

　　輔導老師用著欣賞，甚至是讚嘆的眼光仔細的看著阿銘的作品，並且刻意的與阿呆（小熊布偶）對話。

　　「哇！阿呆你看，阿銘的圖畫中人物的頭髮畫得很仔細，每個人的衣服都有變化，還有青綠色的山，上面的線條好像青草喔！」

　　「真的耶！我也發現阿銘哥哥剛剛在畫畫的時候，很認真、很投入喔！他在挑選顏色的時候很有自己的想法，他對自己很有信心喔！」我以阿呆的角色及口吻對著阿銘說。

　　多麼棒的一個接納與欣賞的回應！個案有了輔導老師這樣的回應，提升了自尊與自信，就更有可能描述其作品的故事。

　　除此之外，在聆聽個案分享過程中，輔導老師又運用自己和阿呆充滿興趣、頻頻點頭的生動身體語言，更讓個案興高采烈的述說起印象中家人一起出遊的經過。

　　後面個案在自由畫時所創作的一隻令人覺得「又可怕、又可愛」的「壞壞龍」，我想這都有投射出他的生命經驗或困境，更奧妙的是，在創作過程有可能也是在為他的生命困境找出口。例如，本案例的個案將壞壞龍和他的寵物在森林中探險的英雄事蹟說得栩栩如生、非常的精采！

　　遊戲治療過程中，不管個案是在玩玩具、畫圖或是任何一個創作過程，輔導老師就是需要真誠邀請，尊重個案的決定、透過口語非口語的接納、感興趣的專心陪伴過程，表達對個案欣賞與好奇，這都會讓個案在決定遊戲、玩具或畫圖、選定主題或媒材，以及敘說故事的過程中，對自己更有自信。

表達性媒材之二：看「圖」「說」故事

　　除了繪畫此創作性媒材，輔導老師也運用了「家庭遊戲卡」、「情緒臉譜」，以及「能量圖卡」來協助個案接觸、覺察並表達所見所感，進而加以「賦能」（empowerment），提升了個案本身即具備的能力。

　　在此簡要的將整個過程做如下說明：

1. 運用神祕的口語引起個案的興趣

　　我故作神祕的說：「阿銘，老師今天準備了一些有趣的圖卡，想要邀請你發揮想像力來『看圖說故事』喔！你想要……用抽的、還是你自己挑？」

2.運用「家庭遊戲卡」引導個案接觸其內在議題

　　「喔！我要用抽的！」阿銘興致勃勃的挑了一張，翻開正面。

　　「嗯……這張圖卡，讓你想到什麼故事呢？」

3.透過「情緒臉譜」，協助個案更進一步接觸內在的感受與心情

「她和家人的心情是怎麼樣的呢？能不能幫他們擺上情緒臉譜？」

阿銘給了主角「痛苦的」臉、爸爸和媽媽都是「擔心的」臉、特別的是，家裡的小狗有張「害怕的」臉。巧的是阿銘家裡也有隻養了快兩年的哈士奇。

4.巧妙的使用「能量圖卡」，提升兒童的我能感

「嗯……，原來他們的心情是這樣的啊！那這裡有一些『能量圖卡』，你可不可以幫他們挑一些東西，讓這個情況能有所改變呢？」

上述的四個步驟可以說是一個基本的過程，每位輔導老師可以根據自己的專長、個案的特質及個案議題而有所調整。

運用圖卡引導兒童敘說的過程，具有投射測驗的性質，因此從兒童敘說內容中發現「重複」的內容是極具診斷功能的。因此，我要肯定本案例的輔導老師，因他敏感度很高的發現兩個重複出現的現象，分別是重覆出現的「議題」與「能量圖卡」。

從阿銘描述的故事，對照到他的日常生活中，可以看出阿銘最在意的是學校課業的表現與朋友的相處。

我觀察到有兩張『能量圖卡』在三個故事中都有出現、並且扮演著關鍵的角色，就是「時光機」與「愛心」。

輔導老師在運用「家庭遊戲卡」作為媒材的過程，引發出了阿銘對自己的感受和期望，且也透過這樣的敘說過程為自己找解決的

方法或能量。

　　他表示自己常常和老師、同學起衝突，都是因為太衝動了！但是拿著「愛心」和「時光機器」的個案若有所思的安靜。輔導老師和布偶客體送了一句充滿希望與能量的話給個案「**相信自己　沒有事情會難倒我**」，而個案自己則是抽了「**每一天都是美好的一天**」。

　　我想這過程是給個案一個很深的陪伴，是陪著個案深入的走到自己的內心中——「走回家」。

Part

08

為自己出征

結構式遊戲治療

個案故事

開學新接了一個三年級的班級，該班班風都很好，學生也很可愛，第一次進班上課，同學就以專注、有精神的表情歡迎我，我感到開心。我例行性的點名，並環視整個班級，發現有一個同學未到校，他的名字叫阿平。

Mr. 烏雲先生

輔導股長告訴我，阿平開學一個禮拜來，作息不穩定，不是遲到，就是整天未到校，這個情況以前從未有過。

一個禮拜後的第二次上課，我終於看到他本人了，他縮著肩坐在牆角邊，皺著眉頭向講臺位置望，陰鬱的氣質猶如烏雲籠罩。

上課期間，我走到他身旁，關心著問他：「阿平，你上禮拜好幾天沒到校，發生了什麼事？需要老師的幫忙嗎？」

他似有防備的對我說：「沒有！」

「如果真需要老師的協助，我很樂意聽你說！」我回答。

我試著與他建立關係。在幾次上課中，只要他在教室的時間，我都會特別留意他，或走過去跟他聊上幾句話。但我從未見過他精神抖擻的模樣，甚至覺得他的神情越來越憔悴，給人一種不安感。

學校，你的名字叫「無聊」

開學一個月了，阿平的出缺席仍舊不正常，曠課節數甚多，恐

影響畢業，於是我主動找他談。

第一次的晤談，近距離看到阿平陰鬱且僵硬的表情，帶著退縮及防備與我互動。在我的引導下，他在我的面前坐了下來。

「阿平，你這段時間常沒到校，老師很關心你是不是發生了什麼事？」我開始試著瞭解他沒到校的理由和原因，再看看可以如何協助他。

「就不想來阿！」阿平表情酷酷的，簡潔有力的回了這麼一句話。

這句話讓我想進一步探索阿平是怎麼看待學校生活。我發現阿平和班導關係的緊張，是他抗拒到校的主要原因。「阿平，我感覺到你和導師之間關係蠻緊張的，可以說說看你和班導之間是發生了什麼事情嗎？」

問到這裡，阿平一反先前酷酷的模樣，表情開始有變化。他開始生起氣來，描述了他和班導間的恩怨情仇，他說：「我討厭班導，他只用成績衡量人，他只在意我們的成績，成績好的他就很照顧，像我們這種成績不好的，他就放牛吃草，很看不起我們！」

我感受到他對班導的負面情緒，但我仍試著帶阿平聚焦在具體發生的事情上。一方面避免只是淪於情緒的宣洩，一方面我也想知道事情怎麼發生，較能接近解決問題的可能。

在與阿平晤談之前，我找過阿平一、二年級的輔導老師瞭解他的狀況，三年級之前阿平並沒有不尋常的缺課情況，也未曾聽過阿平和導師關係緊張的情況。

「阿平，你和班導的衝突是從什麼時候開始的？當時發生了什麼事情呢？」我問。

「這學期我媽住進醫院的次數越來越多，我要去醫院照顧她，

有時候照顧得比較晚，回去一躺下去就睡著了，隔天就遲到了！」

但我實在不明瞭這和班導的衝突有關，我又往下問，「你可以再多說一些嗎？這件事情跟你和班導的衝突有什麼關聯？」

他繼續說：「我常常遲到，班導就盯上我了！跟他解釋原因，班導說我找藉口，我要請假班導也不給我請！媽媽打電話跟老師溝通也沒有用！」

「你覺得班導刁難不給你請假，所以想說遲到就算了，甚至有時索性就不來學校，是嗎？」

阿平仍難掩憤怒的情緒，眼神看旁邊避著我，然後點點頭，表示同意我的說法。

後來，我們也聊到他不到校，最常在家做的事情是什麼。他說就是關在房間玩電腦，有時玩得很晚，隔天睡過頭，他常因此而遲到。再來，聊起阿平在校的學習情況，阿平表示，除了體育課之外，沒有一科是他想上的。談到學校，他有很多負面的情緒與看法。

但有趣的是，我發現他仍會一週到校三天左右，我猜想有些拉力吧，讓他仍有動力繼續到校，於是我問他：「阿平，我發現你雖然你不喜歡來上學，上學還會遲到，可是你終究一個禮拜會來學校三天耶，是什麼力量讓你能走出家門來上學呢？」

他說：「我媽會一直唸東唸西，一直叫我要來學校，很煩！」阿平感覺上雖然是想擺脫媽媽的嘮叨，但我後來才知道，媽媽生了重病，很掛念阿平是否能正常上學，所以阿平表面上雖說媽媽嘮叨，其實是不想讓媽媽擔心。

我繼續又說：「除了不想聽你媽媽嘮叨，還有什麼人或事給你動力想來學校？」

他說：「來學校至少可以跟朋友聊天！」在班上，阿平有幾個跟他關係不錯的同學，只要阿平來學校，他們就會聚在一起玩、一起聊天，有說有笑。

我找過這幾個同學，想從他們身上瞭解更多關於阿平的事情，令我驚訝的是，他們只知道阿平對導師不滿，所以不喜歡來學校，其餘關於阿平家裡的大小事，一概不清楚。他們告訴我，阿平不主動提起自己的心事或家裡的事情，他們也不會去問，反正只要阿平來學校，他們就是可以開心的玩在一起。我覺得，這些同學好棒，他們殊不知自己提供的陪伴與尊重，竟然是阿平想來學校的動力之一。

瞭解完他對學校的態度，再來，我感到好奇的是，他的家人如何看待這件事。提到家人，阿平一反有點激動的情緒，變得比較不願意配合。對於家中的成員有誰，他說得支支吾吾、不清不楚。哥哥是家庭成員之中，他說得較為詳細的一人，他提到哥哥會鼓勵他來上學，但不常在家。阿平說，自己若有心事，他不太會對家人說，比較常放在心裡。關於他的家人，我只知道家中有一個生病的媽媽，一個不常在家的哥哥，猜想如果我是阿平，要照顧媽媽，會感覺到無比的沉重吧？再來，為什麼會是阿平去照顧媽媽，其他人呢？我開始思考，阿平不上學的原因，除了與班導有關外，或許還有來自家庭的壓力吧！

第一次晤談結束前，我特別針對曠課將會影響畢業的嚴重性跟他說明。阿平的眉頭皺了一下，沒說什麼。

不願面對的真相

上一次晤談後，我綜合阿平幾個同學給我的回應，加上阿平提

到家人的防衛態度，對於家庭那一塊，我要配合阿平的步調，用間接及安全的方式讓阿平試著表達。所以，我選用「大樹眾生相」、蠟筆，以及原子筆等媒材，用比較安全的方式讓他表達，以瞭解阿平怎麼看待家人與自己的關係。

　　「這張圖裡，每個人以不同表情、姿勢位在這棵樹的不同位置。請你仔細看一看，你覺得哪個人最像自己？你想給他塗上什麼顏色？」

　　我試著說明「大樹眾生相」的作法，並邀請阿平找出自己在「大樹眾生相」的位置及代表他的顏色。

　　他看了看，首先選了一個躲在角落邊臉部哀愁的人，並拿了灰色的蠟筆塗上色。

　　「你可以告訴老師，他哪個部分最像自己呢？」我詢問。

　　「這像我在家的時候！」阿平帶著低落的語氣說。

　　「怎麼說？願意多說一點嗎？」我問。

　　「我媽會一直唸唸唸，逼得我都躲在房間裡。她再唸還是那些沒有意義的東西……」阿平用著無奈的口氣說了這段話。

　　「那為什麼你給他塗上灰色呢？」我好奇的問。

　　「因為煩！」他簡潔有力的這麼說。

　　「如果請你給這位被你塗上灰色的人命名，你會給他取什麼名字？」

　　阿平將他命名為「悲哀」。

接著，我繼續邀請阿平，「阿平，請你再找一找，圖中是否還有覺得像自己的人，再請你為他塗上顏色。」我說。

阿平看了看，不久，他選了一個位在樹的右上端的人，然後拿起蠟筆將他塗上「白色」。我邀請阿平先為「白色」的他命名，阿平稱他為「小白」。

「阿平，『小白』的表情感覺孤單又愛耍自閉，你覺得自己哪裡像他？」我好奇的問。「只有我一個人在家的時候。」阿平回答。

「你不喜歡一個人在家的感覺嗎？」

阿平搖搖頭，表情漠然，我知道他不願意再多作回答，所以不再繼續跟他談家裡的狀況。後來阿平才稍微透露，爸媽感情不睦，所以爸爸早已不住在家裡，媽媽因身體不好常住院，哥哥大他十歲已獨立搬離家中。除非媽媽出院住家裡，否則大部分時間只有阿平一人在家。

聊完「小白」，接下來我仍邀請阿平再繼續探索看看，是否有找到像自己的人，一樣的為他塗上顏色及命名。於是，他找了位在圖片的右下方，一個趴在樹下，感覺慵懶啥事也不想做的人，阿平為他命名為「失敗」，並把他塗上「白色」。

「阿平，你覺得自己哪裡像『失敗』？」我好奇的問。

「就是我不想讀書，只想擺爛的時候最像他。」其實，阿平很清楚自己的狀況，對於學習他一點心情、動力都沒有，來自家庭和學校的挫折，他現在只想逃避。

談完「失敗」，阿平和我很有默契的繼續從圖中尋找像自己的人物。接著，他挑了一個位在右下角，玩著鞦韆、感覺很快樂，阿平稱他為「阿樂」，阿樂被塗上「橘色」。阿平自己說明，他最像

阿樂的地方，就是當他在家盡情玩電腦的時候。

說到這裡，阿平不同於先前的沈重，開始有輕鬆的情緒出現，甚至還有淡淡的笑容。似乎是在說明他因察覺到多樣貌的自己而感到開心。

緊接著，他拿起黃色的筆，對著圖中一個正在努力爬樹且被人撐住的人塗色，他稱作「小黃」。

我好奇的問他：「什麼時候的你像他？」

他回答說：「想來上學的時候。」

我繼續看圖說故事，「看起來這個人很努力的向上爬，但有時也會需要有人協助。你身邊有哪些人可以推你一把呢？」我想知道有什麼資源是可以幫他的。

阿平緩緩的說：「哥哥吧！」又想了一會說：「還有老師你。」

聽到阿平回饋的我，覺得很開心，同時我也快速的給他回應：「老師也看到你有心想改變，也很努力在克服困難！」阿平笑得很靦腆。

「還有嗎？」我想再確認阿平對自己的探索是否告一個段落了。

然而，這個自我探索的過程似乎讓他想到過去的事情，他問我：「可以找跟以前的我很像的嗎？」

「可以啊！記得給他塗上你覺得像他的顏色，然後再給他一個名字喔！」他點頭表示理解之後，不久他拿起黃色，對著揹著一個人、神情愉悅的人物塗上黃色，阿平將他命名為「小小」。

阿平說完「小小」的名字後，神情凝重的看著圖中的「小小」。我配合著他的節奏，也沉默了一下子；不久，他開始喃喃的

敘述著這是小時候的自己，很快樂沒煩惱。旁邊的兩個人一個是爸爸、一個是媽媽，我邀請他也為圖中的爸爸媽媽上色，他卻不願意。於是，我尊重他的決定。

接著我邀請他從圖中尋找與家裡其他成員相似的人物時，阿平的情緒頓時激動起來，非常抗拒將其他成員畫進圖中，當我問他：「你還好嗎？」只見他刻意壓抑情緒，但淚水卻不聽使喚的流下，我想他想到了他的痛。

父母的婚姻不順，家人關係不睦，沒人願意遭遇這樣的情況。阿平的媽媽時常想到丈夫因外遇而離開，就把不開心、忿忿不平的情緒發洩給阿平，久而久之，哥哥和阿平發展的因應方式就是——哥哥搬離家中，阿平則時常躲在自己的房間；家裡的每個人各用自己的方式來逃避、療傷，沒人願意去面對這個傷痛，包括阿平也是。所以他寧願讓記憶停格在自己是「小小」的時候。在諮商室裡頭，止不住的淚水像是訴說他多年來的難過終於有了出口。而我則靜靜陪著他，直到下課。

準備撥雲來見日

從那次晤談之後，大約過了一個禮拜，阿平在一個下課來辦公室找我，悄悄的走到我身邊對我說：「老師，我有事情想問你。」我點頭表示樂意聽他說。

阿平說：「我現在還來得及拿畢業證書嗎？」

原來這小子開始關心自己了，當然我還是根據他的情況，評估了一番，但重點還是阿平接下來的出席狀況要更穩定才行。我請了輔導股長當暗樁，負責幫我記錄他的出缺席，也私下跟他的幾個好友聊聊，希望他們多協助阿平一些。或許阿平仍未真正去面對父母離異的真相，但至少他選擇不留在原地，打起精神為自己出征。

案例實務分析與探討

　　遲到、未到校似乎是國中階段的學生一個平常的故事，也是經常聽到的故事。相信多數老師也都很關心這群孩子，但也經常換來一個冷冷的回應。就像本文中的阿平給輔導老師一個似有防備的回應：「沒有！」

　　在這種情形下，你如何和他建立關係呢？

　　我想主動邀約、主動表達關心是重要且必須做的，即使換來的可能是一個拒絕或抗拒。但我們傳達的關心，可能是要很不著痕跡、淡淡的，卻真誠的關心。就像本文輔導老師所做的。

　　　在幾次上課中，只要他在教室的時間，我都會特別留意他，或走過去跟他聊上幾句話。

拉力與推力之間

　　青少年時期是一個追求自我統整的階段，因此常會對很多事情充滿熱情，但相對的，也會對很多事情充滿排斥與抗拒。多年的實務經驗，讓我知道青少年對事情是充滿熱情或抗拒的關鍵因素，是他覺得有沒有成就感，或他覺得是不是有趣或好玩。

　　我們或許都可以瞭解，網路世界能讓青少年滿足很多現實世界所缺少的成就感，上網過程中，不管是遊戲或聊天，都能讓青少年充分擁有自由自在、有趣好玩的感受。

　　第二個關鍵因素就是同儕的支持網絡，同儕網絡對青少年可能

有正面與負面的影響。所幸本個案阿平跟同儕間有著正向的互動，阿平之所以還會來上學的一個拉力就是同儕。

「來學校至少可以跟朋友聊天！」

本案例的輔導老師運用了班上的輔導股長及阿平的好友，我想這是非常正確且有效的介入，雖然這樣的介入不見得能緩解阿平內心因家庭導致的痛，但這卻是一個基礎啊！若阿平連學校都不來的話，那還有什麼可以做的呢？

運用媒材接觸個案的痛

本案例的輔導老師在初步與阿平建立了不錯的關係之後，很想要進一步更瞭解阿平的「家」，但阿平總是不願意提起。因此，輔導老師巧妙的運用「大樹眾生相」，並配合蠟筆等媒材，用比較安全的方式讓他表達，以瞭解阿平怎麼看待家人與自己的關係。同時也逐步的帶領著阿平接觸到內心多面向的自我，很值得各位輔導老師參酌與運用於自己的實務工作。

「這張圖裡，每個人以不同表情、姿勢位在這棵樹的不同位置。請你仔細看一看，你覺得哪個人最像自己？你想給他塗上什麼顏色？」

輔導老師試著說明「大樹眾生相」的作法，並邀請阿平找出自己在「大樹眾生相」的位置及代表他的顏色。就在這樣的引導下，阿平有以下的表達：

首先選了一個躲在角落邊臉部哀愁的人，並拿了灰色的蠟筆塗上色。

阿平將他命名為「悲哀」。

他選了一個位在樹的右上端的人，然後拿起蠟筆將他塗上「白色」。

阿平稱他「小白」。

「……你覺得自己哪裡像他？」我好奇的問。「只有我一個人在家的時候。」阿平回答。

一個趴在樹下，感覺慵懶啥事也不想做的人，阿平為他命名為「失敗」，並把他塗上「白色」。

「就是我不想讀書，只想擺爛的時候最像他。」

他挑了一個位在右下角，玩著鞦韆、感覺很快樂，阿平稱他為「阿樂」，阿樂被塗上「橘色」。阿平自己說明，他最像阿樂的地方，就是當他在家盡情玩電腦的時候。

緊接著，他拿起黃色的筆，對著圖中一個正在努力爬樹且被人撐住的人，他稱作「小黃」。

……「什麼時候的你像他？」

他回答說：「想來上學的時候。」

試想多麼美妙的一個過程，若以口語詢問的方式進行諮商或輔導，我想很難得到上述如此豐富的內容。

阿平是一個「悲哀的人」，是一個「孤單耍自閉的人」，是一個「失敗者」，也是一個「很開心玩電腦的人」。就在阿平接觸到不同面向的自己時，他也才發現自己也是一個「正在努力爬樹且被人撐住的人」。

當阿平看到自己正向的自我時，他開始懷念過去「小時候的自己，很快樂沒煩惱」。

輔導老師再進一步請阿平試著畫出其他家人，阿平不願意畫，可見現在這個家給了他多大的壓力與痛苦啊！阿平淚水不聽使喚的流下。此時的輔導老師就是陪在阿平身邊，阿平會感受到輔導老師的陪伴、接納與瞭解。此時此刻，或許什麼都不必說，輕輕拍拍阿平的背就是一切。

為自己出征

一個真誠的陪伴，我們的阿平也開始改變了。在一次談話中，阿平說出心中的期待。

「我現在還來得及拿畢業證書嗎？」

阿平這個小小的且非常平常的期待，其實象徵著他開始要為自己負責了，阿平開始要在他人生旅途中為自己出征，敢開始作夢了。這再次印證人只要被瞭解、被接納，每個人都會學會自我負責。

這也讓我想起〈有故事的人〉這首歌的歌詞中有一段是這樣寫的：

曲折的心情有人懂　怎麼能不感動
幾乎忘了昨日的種種　開始又敢作夢

欣賞這位輔導老師的真誠陪伴與引導，使得阿平願意為自己負責，為自己出征了！

Part 09

憤怒下的真情流露

個案故事

　　小瑋，是一位面貌清秀、皮膚白皙、身材清瘦高眺、戴著一付金邊眼鏡的斯文型男。初見小瑋，他是個小學五年級的小男孩，當時的他——沉默不語、神情嚴肅、面無表情；同學則覺得他這個人——脾氣古怪、陰陽怪氣，很難相處。那時，小瑋與同學是屬於兩個平行世界中的族群，無交集、更無聯集；在班上，小瑋則是屬於「絕緣體」的個體，不想與任何人有所互動、牽連。小瑋雖生長於雙親家庭，但由於自小父母工作忙碌，鮮少與父、母親碰面，更談不上開口、聊天。他是家中的獨子，還有一位妹妹。

　　小瑋在校上課時，總是老師在臺上講，他在臺下對著課本猛塗鴉，尤其是課本中的人物面容，一定是被他厚厚塗上一層原子筆水——線條紊亂、毫無章法的憤怒塗鴉——見其大作，不知心中充斥了多少的怨恨呀！

湯匙的蛻變——午餐狂想曲

　　依據班上同學的陳述，小瑋吃得非常少，而且相當挑食，在校只吃他愛吃的，其餘都倒廚餘桶，連一口都不吃。

　　有一天，當班導師發現小瑋餐盤中的飯菜幾乎都原封不動的想要倒入廚餘桶時，班導師站起來朝向他走過去，正準備要開口輕聲勸導他時，小瑋突然就將盤中的飯菜全盤灑倒在地上；同時，一邊大聲咆哮，卻又一邊蹲下來用湯匙靠在地面的磨石子板上，發出吱

吱嘎響的刺耳摩擦聲。頓時，全班同學們都嚇呆了！從鬧哄哄的嘈雜聲中，突然凝結成鴉雀無聲的停格畫面。

無價值批判的誠摯關懷

在這樣的背景脈絡下，我開始與小瑋有了接觸，過程中他總是酷酷的不太說話。

「嘿！帥哥！今天給他很生氣喔！」經常在每次初見面時，我會面帶微笑的注視著他，並以此句話打招呼及接納的態度面對他「凝重的臉」。

「你還好嗎？」配合關心的音調誠摯的問他。

「怎麼了？」我溫和的輕聲詢問著他、關心著他。

他總是邊把玩著玩具，有一搭沒一搭的態度回應我。

我盡所能來回應他的遊戲行為、心情，有時我也會對著「旺旺」（小瑋為小狗布偶取的名字）對話。

「旺旺，你看小瑋躲到角落玩汽車，好像不是很想讓我們看到在玩什麼……」

一次又一次的陪伴，我盡可能的專注聆聽並尊重小瑋的選擇，因此，我與小瑋之間因而建立了足夠的信任關係。或許是這樣的陪伴，小瑋臉部的肌肉變得比較輕鬆了，偶而還會抬頭看我或回應一兩句話。尤其從每次都很準時來到遊戲室的行為推斷，我更堅信小瑋是喜歡這樣的一個「特別的遊戲時間」。

又一次的遊戲治療時，讓我想嘗試主動的邀約小瑋進行「家庭遊戲卡」活動。

「小瑋，在遊戲20分鐘後，老師今天會邀請你來進行一個活動。」

　　小瑋有點疑惑、有點好奇的點點頭，逕自去拿汽車在地板上玩了起來。

接觸與表達壓抑的情緒

　　當小瑋獨自遊戲20分鐘後，我邀請小瑋坐到小桌子旁，我拿出「家庭遊戲卡」，說明要和他一起玩看圖說故事的活動，並請小瑋選擇一張最有感覺的圖卡。讓我驚訝的是，小瑋很快的就主動拿起圖卡自行瀏覽，當他看到「面對面的兩個小朋友」卡片時，他停了下來，小瑋沈默了好一會兒。

　　「我……我恨透我妹妹了……」小瑋主動「說話」了，且是情緒激動地表達——可見這是他壓抑很久的情緒。

　　「你不喜歡妹妹？很討厭她？」我簡要的重述著他當下的心情。

　　「不！我恨她！」小瑋激動的回答著。

　　「哦！你很恨她！我猜她一定做了很多事情，讓你很生氣與討厭。」我試著體會小瑋當下的情緒與想法。

　　「對呀！對呀！爸媽都說她是妹妹，我要讓她……」

　　「爸媽都只關心她在學校的情形……」

　　「大家都說妹妹比較可愛，我比較拗……」

　　「她以為她是誰呀！而且她還故意裝白癡、裝可愛，真是令人生氣，很討厭耶！」

　　在聽完他連珠砲似的表達後，我回應小瑋的感覺說：「你很生氣爸媽都只關心妹妹，而沒有注意到你。」

小瑋看著卡片不語。

我拿著小狗布偶「旺旺」先對卡片上左邊的小男生輕輕的碰觸一下後說：「你好氣爸媽只關心妹妹，都沒注意到你！」

然後再拿著「旺旺」輕輕的接觸小瑋的手，「來！旺旺陪著小瑋一下，其實小瑋是希望爸媽也能多關心他，多注意他。來！讓旺旺來陪一下小瑋。」

看小瑋因憤怒而糾結的眉頭似乎鬆開了不少，我應該是說出了小瑋內心真正的感受。為了讓小瑋更能覺察他自己的內在情緒，我拿出「情緒臉譜」鼓勵小瑋為圖卡中的哥哥表達情緒。

小瑋選了「嫉妒」、「孤單」，卻為妹妹選了「開心」、「快樂」；接著，我又拿出「能量圖卡」，請小瑋選出哥哥最需要的能量物件，小瑋認真的一一挑選，最後選定的是「愛心」，他希望爸爸和媽媽能多陪他、多愛他！

接下來，我做了從第一次到此次遊戲單元的歷程回顧。

「記得小瑋第一次到遊戲室時……，有一次小瑋玩汽車時發現車子有一按鈕……」這樣的回應讓小瑋感受到我是真的都有在陪伴他、注意他。

後來，透過導師幫忙，我安排和小瑋媽媽晤談，得知小瑋的妹妹剛讀小一，爸媽的確是擔心妹妹上小學的適應問題，因此，自從妹妹讀小一後，爸媽很多的關注都在妹妹身上。我將小瑋因失落而感覺缺乏愛的內在感受反應給小瑋媽媽知道，也建議他們要有單獨陪伴小瑋的安排。

接下來的幾次晤談時間，我引導小瑋回想小時候爸媽和他相處的時光。

小瑋在回想的過程中，發現爸媽也曾像照顧妹妹一樣的照顧自己；其間，更記憶起小時候幾次生病時，爸媽無微不至照料的經過。小瑋一邊回想，一邊分享這些充滿溫暖的生活故事，「被愛的感覺」似乎讓小瑋沉浸於幸福的氛圍裡，臉上也不時露出淺淺的微笑。

或許是這次「家庭遊戲卡」活動的情緒抒解與接納，以及與媽媽的晤談等——小瑋改變了。

「聽同學說你都會帶妹妹來上學？而且還會牽著她的手？很體貼喔！」我有一次詢問他和妹妹的關係。

「嗯！……我怕她會跌倒。」他突然不好意思，靦腆的回答著。

「那你對妹妹很好，很照顧她喔！」我微笑回應著。

「她其實滿可愛的，沒那麼討厭啦！」小瑋當下清楚自己其實是愛妹妹的。

小瑋的蛻變——斯文男變辣妹

小瑋的個性漸漸開朗、活潑，與同學相處也漸漸融洽，會和同學們打成一片、鬧成一團；同時，也會主動自願擔任電腦小義工，幫助班上老師輸入學生成績、設計班上各種表格、座位圖等。

此外，還有一個更勁爆的轉變，就是當他的班級要參與全學年段的「班際法治教育話劇比賽」，班導師在選取各項角色時，小瑋竟然自告奮勇要擔任劇中的「辣妹」角色——身穿比基尼裝、粉紅色絲襪、戴假髮，這轉變真是嗆辣十足。

愛的能量

　　在諮商輔導個案時，往往外顯事件所表現的行為，很可能只是當事人內心底層「冰山一角」的反撲，這亟需我們以耐心、細心，小心的去陪伴與關照。只要愛的灌溉足夠，愛的能量夠強，我們都將能夠真心的與我們的個案攜手走過人生中的幽谷，朝向湛藍無雲的亮麗晴空而行。

案例實務分析與探討

越是令人不解的行為深層，經常是壓抑著負向情緒

人有時真的就像是一座活火山，當蓄積了很多負向的情緒時，這些情緒勢必要找一個出口。這些情緒出口的形式會有很多種，實在無法一一列舉，但都會有一個共同的特性——讓人不解為什麼會這樣？

小瑋在校上課時，總是老師在臺上講，他在臺下對著課本猛塗鴉，尤其是課本中的人物面容，一定是被他厚厚塗上一層原子筆水——線條紊亂、毫無章法的忿怒塗鴉。

小瑋突然就將盤中的飯菜全盤灑倒在地上；同時，一邊大聲咆嘯，卻又一邊蹲下來用湯匙靠在地面的磨石子板上，發出吱吱嘎響的刺耳摩擦聲。

因此，若你無法理解兒童的某種行為時，請輔導老師提醒自己，不要被個案行為挑起情緒，這令人無法理解背後的行為，一定有值得探討與瞭解的故事，這行為的背後也很有可能是壓抑了很多負向的情緒，等待你去引導他接觸、宣洩或表達這些負向情緒。

無條件的接納是一切的基礎

此案例的輔導初期，個案是非常抗拒的。面對抗拒的個案真的沒有一套放諸四海皆準的技巧，但卻有一個放諸四海而皆準的原則，那就是——無條件的接納。

在本案例中的輔導老師，在每次初見面時，總是面帶微笑的注視著個案，然後說：

「嘿！帥哥！今天給他很生氣喔！」

或是關心的詢問：

「你還好嗎？」、「怎麼了？」

輔導老師在講這些關心的話語當下，或許表面上都沒有產生什麼外顯作用，但輔導老師卻要徹底的做，而且是不只一次的做，如此，才稱得上是「無條件的接納」。

但這「無條件的接納」只是一個基礎，不代表輔導就會很順暢。因此，有一間適當的遊戲室是有其必要的，若沒有遊戲室時，輔導老師可能就要自行準備一些物件或媒材。因這些物件可以幫忙輔導老師在「無條件接納」的態度下，有個著力點繼續讓兒童感受到輔導老師的接納與瞭解，請看下個段落所提的布偶客體之運用。

布偶客體在輔導抗拒個案上的運用

布偶客體在面對抗拒個案時可以產生一些不錯的效果。

抗拒個案最典型的一種反應就是「不回應」、「不表達」，例如本案例的個案就是以有一搭沒一搭，玩著玩具的態度來回應輔導老師。此時，若只有輔導老師一個人，場面難免就會很僵。但若將

布偶客體（本案例中的「旺旺」）擬人化，視為在遊戲治療過程中另一位陪伴兒童的夥伴，如此一來，儘管兒童不回應或回應很少，輔導老師都還可以藉著與布偶客體對話來逐漸打開個案的心防，就像本案例的輔導老師會做如下的反映：

> 「旺旺，你看小瑋躲到角落玩汽車，好像不是很想讓我們看到他在玩什麼？」

這邊也介紹幾個可行的方式，提供給輔導老師參考。

1. 運用布偶客體參與個案遊戲

可以運用布偶客體參與個案的遊戲，因此輔導老師可以表達：

> 「小瑋，旺旺看到你在玩拼圖，他也想過去看你玩喔！」

2. 運用布偶客體與個案進行身體的接觸

有時與個案初見面，可以運用可愛的布偶與個案有適當的身體接觸，以表達友善與接納。因此，輔導老師可以拿著布偶對著個案說：

> 「旺旺想要跟你握握手。」

3. 與布偶客體對話來反映情緒

當個案出現比較明顯或強烈的情緒時，輔導老師可以與布偶對話，反映出個案當下的情緒：

> 「旺旺看到你悶悶不樂的樣子，他也好難過。」

4. 以布偶客體見證個案的改變

當個案在行為上表現出正向、正面、改變的行為，或情緒有所轉變時，輔導老師都可以運用布偶成為一個見證。輔導老師可以反

映：

> 「旺旺你看，今天小瑋自己進到遊戲室，不必老師去找他了。」

或是：

> 「旺旺你看，小瑋說這是他將疊疊樂疊得最高的一次。」。

或是：

> 「旺旺！你也有看到小瑋今天很開心的來到遊戲室。」

運用媒材協助兒童接觸內在壓抑的議題

在本案例中，輔導老師也運用了「家庭遊戲卡」和「情緒臉譜」來協助個案接觸其內在的情緒。也因為有圖卡的運用，可以協助個案將畫面一直停留在腦海中，再配合個案本身的描述及輔導老師的回應與引導，都可以更有效的引導個案接觸與表露內在相關議題的情感。例如，本案例中的個案看到「家庭遊戲卡」卡片時，他停了下來，且沈默了好一會兒。這就是圖卡的畫面觸動了個案的議題。再配合輔導老師的回應：

> 「你不喜歡妹妹？很討厭她？」
>
> 「哇！她一定做了很多事情，讓你很生氣與討厭。」

這些都能引導個案把壓抑的情感表達出來。

「家庭遊戲卡」和「情緒臉譜」之所以會有效果，其實就是因為視覺圖像更容易喚起每個人內在的感受。尤其兒童的抽象認知能力較弱，這些媒材就像是打開個案新窗的鑰匙；一棟房子的窗戶若深鎖著，溫暖的太陽就無法照進來，新鮮的空氣也不能飄進來。我們人也是一樣，「心窗」沒有打開的時候，就會感到氣悶與心煩，各種情緒就會不定時的繃出來。因此善加運用適當的媒材，媒材就

會是一把打開兒童心窗的鑰匙。

　　本書很強調各種媒材在輔導實務上的運用，在此，再一次的鼓勵所有閱讀本書的讀者與輔導老師，善用各種圖卡、詩詞、歌詞、物件、美勞雜誌、圖卡各種可以引導個案表達的媒材。

堅強的微笑

個案故事

　　在尚未見面之前，對於阿寶所面臨到的困境已有所瞭解。第一親眼見到阿寶時，導師將阿寶帶到諮商晤談室，他臉上堆滿笑容且謙恭有禮。導師說過阿寶是個愛面子的孩子，他會習慣性的把內心的感受隱藏起來，用微笑面對他人。

　　阿寶是一位國小六年級、單親家庭的孩子，有一位就讀高中的姊姊。阿寶從小和母親感情特別好，常常會說笑話給母親聽，逗母親開心。阿寶被學校轉介輔導的原因，因為阿寶生活上最依賴的母親竟在無預警的情況下，在家中自殺結束生命。導師發現阿寶在學校的表現異常穩定，甚至比媽媽在世時還要努力，因而擔心阿寶的內心調適問題，於是轉介諮商輔導。

情緒的宣洩

　　跟阿寶見面一開始我先自我介紹，並用《陪著你玩》繪本（鄭如安、陳玟如，2012）說明來意，說明每週固定晤談時間及次數。同時，我還帶了一個小熊玩偶，告訴阿寶在每次晤談時，我都會把小熊帶來，在諮商結束後，會將玩偶送給阿寶，小熊會為我們整個諮商過程做見證。我運用小熊的用意在於以後每當阿寶看到小熊時，便會想起生命中的某個片段，曾經有一位輔導老師陪伴他走過。阿寶為小熊命名為「小傑」。

　　當我說明來意是為了陪阿寶走一段面臨人生重大失落的過程，

他開始流淚，這是母親過世後，阿寶第一次在別人面前掉眼淚。

「想到媽媽很難過是嗎？」我試著同理阿寶的情緒。

經過一陣子的哭泣後，阿寶緩緩哽咽說道：「她太過份了！怎麼可以這樣丟下我！」

阿寶對母親的離開同時感到悲傷與憤怒，氣母親的不告而別，但也表示知道母親選擇走上這條路的原因是因為經濟壓力。我告訴阿寶，面對母親過世這段期間，可能會有焦慮、壓力、憤怒、失落等感受，給自己一些時間經歷這個過程。我同時也評估阿寶目前擁有一些支持的力量，包括爸爸、親友、學校老師及同學等，而阿寶現在住在平日常往來且感情不錯的阿姨家。

第二次晤談時，我邀請阿寶運用「百變情緒卡」（高淑貞，2007）挑選出一週以來有過的情緒感受。阿寶選了四張卡，分別是「羨慕」、「無力」、「受傷」與「痛苦」。

「阿寶，什麼情況下讓你有這些感覺呢？」

「最近放學時，看到同學的媽媽來接送，便會不自覺想到媽媽。」阿寶很羨慕同學，想起以前媽媽也會這麼做。

「做什麼事都提不起勁來。」阿寶面對現狀有種無能為力的感覺。

「一想到媽媽是用這種方式來結束生命，內心感到很受傷。」母親用自殺結束生命的同時，也深深傷害了阿寶的心。

「想到以後再也看不到媽媽了，覺得很痛苦。」面對母親逝去的事實，阿寶有種無法言喻的痛苦。

我在阿寶哭泣難過時所做的就是靜靜的陪伴，讓阿寶多停留在自己的感受上，知道痛的感覺仍然在，暫時不會消失，但時光仍然持續前進著。為了不讓悲傷影響日常的生活，讓阿寶試著慢慢用自

己的速度，將複雜的情緒感受暫時收放在心裡面某個角落，再好好關照它，用時間慢慢沈澱思緒。

　　阿寶慢慢回憶起過去和母親生活的點點滴滴，阿寶常常說笑話逗母親笑，而阿寶看到母親的笑容也會感到很開心。阿寶回憶起大約一年前左右，母親開始有輕生的念頭，要阿寶姊弟倆好好照顧自己，阿寶第一次聽到時，內心感到十分害怕；但是後來母親常常說，阿寶也就漸漸不以為意。沒想到母親竟然在無預警的情況下驟然結束自己的生命，留下阿寶無限的傷痛與遺憾。阿寶瞭解母親輕生的原因可能為患有憂鬱症及沉重的經濟壓力，似乎能夠理解母親做了這個決定的掙扎與痛苦。

　　從阿寶描述了跟母親共同生活多年的點點滴滴後，我感受到阿寶和母親之間親密的連繫，他們曾經一同創造了許多美好的回憶。

　　「阿寶，從你的描述中，我感受到你和媽媽感情很好，她也很照顧你，請你回顧一下過去和媽媽共同生活的這十幾年，她所帶給你的一切。若要給媽媽打分數，你會給媽媽幾分呢？」我想讓阿寶從過去和母親的相處中看到母親在他心中的位子。

　　「因為媽媽常生氣、很情緒化，所以大概85分吧。」阿寶想了一會兒後這麼回答著；後來又補上一句：「如果媽媽沒有選擇輕生的話，應該會有92分。」阿寶肯定母親這幾年為他所付出的一切，而他心中似乎也期盼著母親能更開朗些。

爺爺沒有穿西裝

　　透過引導阿寶閱讀《爺爺有沒有穿西裝》（張莉莉譯，1999）繪本，請他分享令他較有感覺的幾幅畫。

　　「入殮」的那幕，阿寶回想看到母親放入棺材裡的當下，哭得

既疲累又無力；而「出殯」當天的儀式進行過程中，阿寶沒有哭泣，不過在母親即將送入火化的那一刻，阿寶崩潰，哭得泣不成聲；火化結束後，家族親友一同吃飯時的有說有笑，讓阿寶心情變得很複雜，有一種莫名的感覺。

一直被期待要堅強勇敢的阿寶，告別式過程中忍住悲傷，但最後面臨母親將送入火化的那一刻，也代表著真正要永遠與母親分別了，此刻的阿寶終於忍不住壓抑已久的情緒，釋放出內心的悲傷。而看到親友們的有說有笑時產生的莫名感覺，我想那或許是阿寶對生命的存在意義或價值開始有了一些省思了。

充滿回憶與帶來力量的創作品

透過和阿寶的談話，瞭解阿寶喜歡玩黏土，我邀請阿寶思考能夠紀念母親的東西。一開始，我播放了輕柔的音樂，陪著阿寶一起透過冥想，回想過去和母親共處的這些年裡，令他印象深刻的美好畫面。

慢慢的，阿寶的腦海中出現了過去和母親共有的兩段幸福畫面，而這兩段幸福的畫面分別用輕黏土做成了兩件物品來代表回憶，一件是「棒球」，另一件是「小老鼠」。

關於「棒球」的記憶是一段小時候的回憶，阿寶當時就讀小三，與爸爸、媽媽和姊姊全家人一起到西子灣，用沙子作成棒球互打的歡樂回憶。由於這是全家難得的出遊經驗，也格外令阿寶印象深刻；另外「小老鼠」是阿寶曾經養過的寵物，在飼養的過程中，有母親一起參與，想到牠時，許多和母親一起照顧的畫面與對話浮現眼前。「棒球」和「小老鼠」對阿寶而言，都是過去一段美好記憶的象徵與保存。

　　我在引導阿寶冥想的過程中，運用輕音樂營造了一個放鬆的情境，試著透過引導語讓阿寶去回憶，緩慢的讓阿寶用自己的速度喚起過去的記憶。阿寶所能想到的事件，對他來說都是別具意義的。另外，在引導阿寶將想像的畫面化成具體的物品，也是先瞭解他喜歡的創作方式，因為我先前得知阿寶不喜歡畫畫，但喜歡玩黏土，於是準備了輕黏土作為讓阿寶發揮創作的媒材，如此一來，讓他是用「玩」的方式完成作品，而不是依我的喜好或指示「做作業」。在阿寶「創作」的過程中，背景的輕音樂也是持續不斷的播放，還有我靜靜的陪伴與體會阿寶的感受。

　　經過一週後見面，阿寶的輕黏土作品凝固成型。也是我們最後一次晤談。

　　「我可以把作品帶回家嗎？」阿寶主動表示要將作品帶回阿姨家。

　　「當然可以啊，這是你親手完成的作品，對你和媽媽來說都是很有意義的。」這代表著對一段美好過去的紀念。

　　「我想放在我的書桌上，每天都可以看到它們。」阿寶很珍惜親手完成的作品。

　　「天天看到它們對阿寶的意義是什麼？」我試著想在阿寶的作品和與媽媽的回憶之間做個連結。

　　「這樣我就會想起媽媽，好像她就在我身邊陪著我。」

　　「阿寶，從你的話語中，我感受到你對媽媽有好深的思念和不捨的情緒。」阿寶低著頭，默默流淚。眼淚代表著情緒的釋放與宣洩，眼淚也撫慰著阿寶哀傷的心。

　　過了一會兒，我問阿寶：「如果媽媽可以跟阿寶說話的話，阿寶覺得媽媽會跟你說什麼？」

「媽媽應該會要我用功讀書、好好照顧自己。」阿寶告訴我，他身邊留有母親生前常用的文具，那會讓他有熟悉的感覺，同時母親的東西也提醒了他母親在遺書上交代的事：要好好用功讀書。我感受到阿寶不想讓母親失望，帶著母親的期許繼續走人生的路。

「我看到阿寶對媽媽有好深的情感，雖然遺憾媽媽的逝去，但是媽媽陪伴阿寶的這幾年也帶給阿寶好多珍貴的回憶，以後當阿寶看到這些作品時，便可以回想起和媽媽在一起的點點滴滴，這些回憶將會永遠留存在阿寶的心中。」

我引導阿寶將作品和對母親的思念之間作正向連結，母親雖然不在了，但曾經與母親經歷過的一切仍然存在，這一切會化為美好的記憶永遠留存在阿寶的心中，並且帶給阿寶繼續向前行的力量。

回顧與祝福

最後，我將小熊「小傑」交給了阿寶，阿寶也告訴我阿姨很期待看到「小傑」。阿寶每次回阿姨家都會轉述我們諮商的過程，在阿寶願意分享的過程中，其實正代表著他接受並面對母親過世的事實。

我告訴阿寶，「小傑」見證了我們共同走過面對阿寶失去母親的悲傷歷程，希望他以後看到「小傑」時，便會想起曾經有位輔導老師在他難過的時候，陪他走過了一段悲傷期。也藉此提醒阿寶，雖然母親走了很遺憾，但是他不孤單，他身邊有許多關心他的親友、師長及同學都在陪著他。

同時，阿寶也看到自己因為母親不珍惜生命而傷心難過，因此勉勵阿寶在面對未來生活所可能遭遇到的挫折與挑戰時，用理性不傷害自己和別人的方式因應，同時想到自己永遠不孤獨，總是有人

可以商量的。

　　還有，也讓阿寶回顧諮商歷程，讓他再次體認母親過世對他的意義，包括從一開始難以面對事實、對母親懷有生氣的情緒、想念卻壓抑的情感，一直到能夠在身邊的親友陪伴鼓勵之下，逐漸調整自己生活的步調與心情，適應新環境，重新展開新生活。母親雖然離開了，但她的精神會一直存在阿寶的心中，並帶給阿寶滿滿前進的力量。

案例實務分析與探討

因為至痛所以選擇壓抑與隱藏

　　讀到這樣的案例，內心總是會覺得這是一位多麼令人心疼與不捨的個案。就好像當一個人肚子餓了，卻要一直說「不餓、不餓」。明明內心非常的難過，卻選擇以微笑面對他人，多辛苦啊！輔導老師更要知道的是，阿寶必須花好大的能量來壓抑內在至痛的情緒啊！所以他的確是需要有人陪伴、引導他接觸、表達其內在壓抑的情緒，進而能適當的統整或轉化。

　　有人會問，面對這樣一個重大失落，阿寶為什麼不哭？我想其可能的原因是這個事件所造成的震撼太大了，加上又沒有可以信賴的依附對象，他的情緒一直處在高度驚慌失措狀態下時，就可能會有這樣的反應。此時若能建構一個夠安全及接納的情境，就很可能可以讓個案將他壓抑的情緒抒發出來。

　　本案例的輔導老師貼心的應用小熊布偶，並誠懇表達願意陪他走這段失去媽媽的過程，透過簡短的一個同理「想到媽媽很難過是嗎？」阿寶情緒就開始釋放了。

核心情緒常是隱藏在表面情緒的後面

　　或許會有人疑惑阿寶表達出來的第一個情緒竟然是哭泣中帶有憤怒的情緒。

「她太過份了！怎麼可以這樣丟下我！」

想這是很正常及典型悲傷失落的一個過程，而這也說明真正的核心情緒常會被一些反應式的情緒所隱藏。就此案例而言，阿寶是好深的悲傷與難過，他捨不得媽媽、他不要媽媽離開，阿寶是如此經常的逗媽媽開心，為什麼媽媽還是選擇離開阿寶呢？

從這樣的一個簡單分析，也說明當輔導老師能引導個案接觸到他的情緒時，要瞭解可能一開始都只是接觸到個案的反映式情緒，輔導老師要進一步協助個案接觸或察覺到更深層的核心情緒。

應用情緒卡引導個案接觸核心情緒

本案例的輔導老師巧妙的運用情緒卡，引導個案敘說一週來的心情，讓個案更精緻地接觸到更細微的情緒。阿寶分別選了「羨慕」、「無力」、「受傷」和「痛苦」等四張情緒卡。

這四種很不一樣的情緒卻也反映阿寶現在的狀態。

「最近放學時，看到同學的媽媽來接送，便會不自覺想到媽媽。」

「做什麼事都提不起勁來。」

「一想到媽媽是用這種方式來結束生命，內心感到很受傷。」

「想到以後再也看不到媽媽了，覺得很痛苦。」

情緒卡上的情緒字眼引導個案接觸其內在深層多樣的核心情緒，情緒卡上具體的臉部表情又可以協助個案更精緻的描述其內在情緒。

在個案接觸與描述其核心情緒過程，輔導老師專心的陪伴（或許就是安靜的陪在他旁邊），或是情感的反映，除了可以協助個案釋放壓抑的情緒之外，也讓個案從輔導老師的反映中看到他自己的狀態。

應用情緒卡厚實其敘說

在個案接觸到其核心情緒之後，個案開始敘說著過去與媽媽在一起生活的點點滴滴。

> 阿寶常常說笑話逗母親笑，而阿寶看到母親的笑容也會感到很開心。阿寶回憶起大約一年前左右，母親開始有輕生的念頭，……阿寶瞭解母親輕生的原因可能為患有憂鬱症及沉重的經濟壓力。

> 「因為媽媽常生氣、很情緒化，所以大概85分吧。」阿寶想了一會兒後這麼回答著；後來又補上一句：「如果媽媽沒有選擇輕生的話，應該會有92分。」

試想個案感受到輔導老師的陪伴、接納，透過適當的媒材物件安全的抒發自己壓抑的情緒，同時，也可以開始敘說著過去與媽媽生活的點滴回憶，有開心、有難過、有擔心，可能也有生氣與遺憾。重點是個案的回憶與敘說過程，又從輔導老師的反映中看到自己的狀態，這樣的過程對個案是非常有助益的。

繪本、音樂與創作的應用更具畫龍點睛之巧妙效果

在有前述的基礎下，本案例的輔導老師善用了《爺爺沒有穿西裝》繪本，讓個案再次體驗媽媽入殮的一個深刻經驗。

　　阿寶回想看到母親躺在棺材裡的當時，哭得既疲累又無力。……

　　在母親即將送入火化的那一刻，阿寶崩潰，哭得泣不成聲；火化結束後，家族親友一同吃飯時的有說有笑，讓阿寶心情變得很複雜，有一種莫名的感覺。

後續輔導老師播放著輕柔的音樂，透過冥想引導阿寶回想過去和母親共處中印象深刻的美好畫面。阿寶用輕黏土做了「棒球」和「小老鼠」兩件作品。

　　關於「棒球」的記憶是一段小時候的回憶，阿寶當時就讀小三，與爸爸、媽媽和姊姊等全家人一起到西子灣，用沙子作成棒球互打的歡樂回憶。

　　另外「小老鼠」是阿寶曾經養過的寵物，在飼養的過程中，有母親一起參與，想到牠時，許多和母親一起照顧的畫面與對話浮現眼前。

我想各位讀者可以從上述這樣的過程感受到一種「感動」，感動於個案敘說著看到媽媽躺在棺材及送入火化時的崩潰情緒狀態；感動於個案敘說著「棒球」與「小老鼠」的回憶，這些跟媽媽有深刻連結的回憶，是如此平常的故事，卻又是如此記憶深刻的故事。

　　這些故事因為是從個案的口語敘說出來，又更讓人感動。這樣的感動就是個案痊癒的能量與象徵，也感動於輔導老師的接納與陪伴。

　　我們可以從輔導老師很多很貼心的小地方感受到這份感動。

　　試著透過引導語讓阿寶去回憶，緩慢的讓阿寶用自己的速

度喚起過去的記憶。……

　　我先前得知阿寶不喜歡畫畫，但喜歡玩黏土，於是準備了輕黏土作為讓阿寶發揮創作的媒材，如此一來，讓他是用「玩」的方式完成作品，而不是依我的喜好或指示「做作業」。在阿寶「創作」的過程中，背景的輕音樂也是持續不斷的播放，還有我靜靜的陪伴與體會阿寶的感受。

　　個案從接觸核心情緒、表達過去與媽媽的回憶、創作象徵著與媽媽連結的作品，到改變的過程中，輔導老師除了善用一些媒材物件之外，最重要的就是一份貼心與細心，小心翼翼的陪伴著個案。由於輔導老師的這樣陪伴，讓個案在敘說過程有了新的領悟，並獲得找回自己的能量。

布偶客體見證了個案的轉變

　　布偶客體一直是我極力倡導的一個策略，在本案例中的小熊「小傑」就是個案的客體。輔導老師在輔導一開始就已經介紹給個案，然後「小傑」就和輔導老師一樣一直陪著他，聆聽個案的故事，看著個案的轉變，因此在要結案時，「小傑」就成了一個最佳的見證，而且這個見證是可以讓個案帶回家的，多麼好啊！尤其是本個案的阿寶，在面對了一個重大的失落經驗後，相信有一個新的客體——「小傑」在他的生命中出現，這也是非常棒的。

　　期待每位讀者能透過閱讀本書的案例，更瞭解如何善用布偶客體在個案輔導上。

參考書目

一、中文部分

Amelie Fried 著，張莉莉譯（1999）。**爺爺有沒有穿西裝？**臺北：格林文化。

Irvin D. Yalom 著，易之新譯（2002）。**生命的禮物：給心理治療師的 85 則備忘錄**。臺北：心靈工坊。

Maria Giordano, Garry Landreth, Leslie Jones 著，王世芬、王孟心譯（2008）。**建立遊戲治療關係實用手冊**。臺北：五南。

Quentin Blake 著（1999）。**小丑找新家**。臺北：臺灣麥克。

Virginia Satir 著，吳就君譯（1993）。**與人接觸**。臺北：張老師文化。

小星星著，達姆繪（2008）。**生氣娃**。臺北：小兵。

高淑貞、陳識博、吳櫻菁（2007）。**百變情緒卡**。彰化：欣興。

鄭如安（2012）。**結構式遊戲治療——接觸、遊戲與歷程回顧**。高雄：麗文文化。

鄭如安主編（2012）。**圖卡媒材在遊戲治療上之應用——覺察、表達、行動、撫育、整合**。高雄：麗文文化。

二、外文部分

Ariel, S. (1992). *Strategic family play therapy.* New York: John Wiley & Sons.

Benedict, H. E. & Mongoven, L. B. (2004). Thematic play therapy: an approach to treatment of attachment disorders in young children.

In H. G. Kaduson, D. Cangelosi, & C. Schaefer (Eds.), *The playing cure: individualized play therapy for specific childhood problems* (pp. 277-316). New York: Rowman & Littlefield.

Holmberg, J. R., Benedict, H. E., & Hynan, L. S., (1998). Gender differences in children's play therapy themes: Comparisons of children with a history of attachment disturbance or exposure to violence. *International Journal of Play Therapy, 7*(2), 67-92.

Jernberg, A. M. (1993). Attachment formation. In C. E. Schaefer (Ed.), *The therapeutic powers of play* (pp. 241-265). New York: Jason Aronson.

Schaefer, C. E. (1994). Play therapy for psychic trauma in children. In K. O'Connor & C. E. Schaefer (Eds.), *Handbook of play therapy: Volume two: advances and innovation* (pp. 297-318). New York: Wiley.

Terr, L. (1981). Forbidden games: Post-traumatic child's play. *Journal of the American Academy of Child Psychiatry*, 20, 741-760.

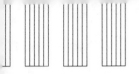

地址：

姓名：

麗文文化事業股份有限公司
Liwen Publishers Co.,Ltd.

麗文文化・巨流圖書・高雄復文・駱駝

通訊地址：80252高雄市五福一路41巷12號

電話：07-2265267 /07-2261273 傳眞：07-2264697

e-mail1:liwen@liwen.com.tw

e-mail2:fuwen@liwen.com.tw

網址：http://www.liwen.com.tw

收

請沿虛線對摺,謝謝!

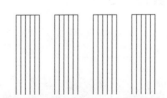

麗文文化事業股份有限公司
Liwen Publishers Co.,Ltd.

麗文文化・巨流圖書・高雄復文・駱駝

麗文文化事業股份有限公司
Liwen Publishers Co.,Ltd.

閱讀是個人內涵的累積.閱讀是生活質感的提升

感謝您購買我們的出版品,請您費心填妥此回函,您的指教是我們真誠的希望,我們也將不定期寄上麗文文化事業機構最新的出版訊息。

讀者回函

姓名：	出生：　　年　　月　　日
性別：	聯絡電話：
郵區：	E-MAIL：
連絡住址：	
書名：	

教育程度：□ 國小□國中□高中/職□專科□大學□研究所以上

職業：□學生 □ 教師□ 軍警□ 公 □ 商/金融 □ 資訊業 □ 服務業□ 傳播業
　　　□出版業□家管□SOHO族 □ 銷售業 □ 其他 _____

您如何發現這本書？
□書店□網路□報紙□雜誌□廣播□電視□親友推薦□其他_____

您從何處購得此書？
□大型連鎖書店□傳統書店□網路□郵局劃撥□傳真訂購□其他_____

您喜歡閱讀哪些類別的書籍？
□哲學□教育□ 心理□宗教□社會科學□傳播□文學□傳記□財經商業
□資訊□休閒旅遊□親子叢書□其他_____

您購買此書的原因：

_____

您對我們的建議：

_____